D0370310

DU MÊME AUTEUR

Aux Éditions Gallimard

LA PLACE DE L'ÉTOILE, *roman.* Nouvelle édition revue et corrigée en 1995 (« Folio », *n° 698*).

LA RONDE DE NUIT, *roman* (« Folio », *n° 835*).

LES BOULEVARDS DE CEINTURE, *roman* (« Folio », *n° 1033*).

VILLA TRISTE, *roman* (« Folio », *n° 953*).

EMMANUEL BERL, INTERROGATOIRE *suivi d'*IL FAIT BEAU ALLONS AU CIMETIÈRE. *Interview, préface et postface de Patrick Modiano* (« Témoins »).

LIVRET DE FAMILLE (« Folio », *n° 1293*).

RUE DES BOUTIQUES OBSCURES, *roman* (« Folio », *n° 1358*).

UNE JEUNESSE, *roman* (« Folio », *n° 1629*; « Folio Plus », *n° 5*, avec notes et dossier par Marie-Anne Macé).

DE SI BRAVES GARÇONS (« Folio », *n° 1811*).

QUARTIER PERDU, *roman* (« Folio », *n° 1942*).

DIMANCHES D'AOÛT, *roman* (« Folio », *n° 2042*).

UNE AVENTURE DE CHOURA, *illustrations de Dominique Zehrfuss* (« Albums Jeunesse »).

UNE FIANCÉE POUR CHOURA, *illustrations de Dominique Zehrfuss* (« Albums Jeunesse »).

VESTIAIRE DE L'ENFANCE, *roman* (« Folio », *n° 2253*).

VOYAGE DE NOCES, *roman* (« Folio », *n° 2330*).

UN CIRQUE PASSE, *roman* (« Folio », *n° 2628*).

DU PLUS LOIN DE L'OUBLI, *roman* (« Folio », *n° 3005*).

DORA BRUDER (« Folio », *n° 3181*; « La Bibliothèque Gallimard », *n° 144*).

DES INCONNUES (« Folio », *n° 3408*).

LA PETITE BIJOU, *roman* (« Folio », *n° 3766*).

ACCIDENT NOCTURNE, *roman* (« Folio », *n° 4184*).

Suite des œuvres de Patrick Modiano en fin de volume

ENCRE SYMPATHIQUE

PATRICK MODIANO

ENCRE
SYMPATHIQUE

roman

nrf

GALLIMARD

*Il a été tiré de l'édition originale de cet ouvrage
cent soixante-dix exemplaires sur vélin rivoli
des papeteries Arjowiggins numérotés de 1 à 170.*

En page 9 : Maurice Blanchot, Le livre à venir
© *Éditions Gallimard, 1959.*

© *Éditions Gallimard, 2019.*

Qui veut se souvenir doit se confier à l'oubli, à ce risque qu'est l'oubli absolu et à ce beau hasard que devient alors le souvenir.

Maurice BLANCHOT

Il y a des blancs dans cette vie, des blancs que l'on devine si l'on ouvre le « dossier » : une simple fiche dans une chemise à la couleur bleu ciel qui a pâli avec le temps. Presque blanc, lui aussi, cet ancien bleu ciel. Et le mot « dossier » est écrit au milieu de la chemise. À l'encre noire.

C'est le seul vestige qui me reste de l'agence de Hutte, la seule trace de mon passage dans ces trois pièces d'un ancien appartement dont les fenêtres donnaient sur une cour. Je n'avais guère plus de vingt ans. Le bureau de Hutte occupait la pièce du fond, avec l'armoire aux archives. Pourquoi ce « dossier » plutôt qu'un autre ? À cause des blancs, sans doute. Et puis il ne se trouvait pas dans l'armoire aux archives, mais il demeurait là, abandonné sur le bureau de Hutte. Une « affaire », comme il disait, qui n'avait pas encore été résolue – le serait-elle jamais ? –, la première dont il m'avait parlé le soir où il m'avait engagé « à l'essai », selon son expression. Et quelques mois plus tard, un autre soir à la même heure, quand j'avais renoncé à ce travail et quitté définitivement l'agence, j'avais glissé dans ma serviette, à l'insu de Hutte et après lui avoir fait mes adieux, la fiche dans sa chemise bleu ciel qui traînait sur son bureau. En souvenir.

Oui, la première mission que m'avait confiée Hutte était en rapport avec cette fiche. Je devais demander à la concierge d'un immeuble du 15e arrondissement si elle n'avait pas de nouvelles d'une certaine Noëlle Lefebvre, une personne qui posait à Hutte un double problème : non seulement elle avait disparu d'un jour à l'autre, mais on n'était même pas sûr de sa véritable identité. Après la loge de la concierge, Hutte m'avait chargé de passer dans un bureau des PTT muni d'une carte qu'il m'avait donnée. Sur celle-ci figurait le nom de Noëlle Lefebvre, son adresse et sa photo, et elle servait à retirer du courrier au guichet de la poste restante. La dénommée Noëlle Lefebvre l'avait oubliée à son domicile. Et puis, je devais me rendre dans un café pour savoir si on y avait vu Noëlle Lefebvre ces temps derniers, m'asseoir à une table et y demeurer jusqu'à la fin de l'après-midi au cas où Noëlle Lefebvre ferait son apparition. Tout cela dans le même quartier et la même journée.

La concierge de l'immeuble a mis longtemps à me répondre. J'avais frappé de plus en plus fort à la vitre de la loge. La porte s'est entrouverte sur un visage ensommeillé. J'ai d'abord eu l'impression que le nom « Noëlle Lefebvre » n'évoquait rien pour elle.

« Vous l'avez vue récemment ? »

Elle a fini par me dire d'une voix sèche :

« ... Non, monsieur... je ne l'ai pas revue depuis plus d'un mois. »

Je n'ai pas osé lui poser d'autres questions. Je n'en aurais pas eu le temps, car elle avait aussitôt refermé la porte.

Au bureau de la poste restante, l'homme a examiné la carte que je lui tendais.

« Mais vous n'êtes pas Noëlle Lefebvre, monsieur.

— Elle est absente de Paris, lui ai-je dit. Elle m'a chargé de prendre son courrier. »

Alors, il s'est levé et a marché jusqu'à une rangée de casiers. Il a examiné le peu de lettres qu'ils contenaient. Il est revenu vers moi et m'a fait un signe négatif de la tête.

« Rien au nom de Noëlle Lefebvre. »

Il ne me restait plus qu'à me rendre au café que m'avait indiqué Hutte.

Un début d'après-midi. Personne dans la petite salle, sauf un homme, derrière le zinc, qui lisait un journal. Il ne m'a pas vu entrer et il poursuivait sa lecture. Je ne savais plus en quels termes formuler ma question. Lui tendre tout simplement la carte de la poste restante au nom de Noëlle Lefebvre ? J'étais gêné de ce rôle que Hutte me faisait jouer et qui s'accordait mal avec ma timidité. Il a levé la tête vers moi.

« Vous n'avez pas vu Noëlle Lefebvre ces jours derniers ? »

Il me semblait que je parlais trop vite, si vite que j'avalais les mots.

« Noëlle ? Non. »

Il m'avait répondu de manière si brève que j'étais tenté de lui poser d'autres questions concernant cette personne. Mais je craignais d'éveiller sa méfiance. Je me suis assis à l'une des tables de la petite terrasse qui débordait sur le trottoir. Il est venu prendre la commande. C'était le moment de lui parler pour en savoir plus long. Des phrases anodines se bousculaient dans ma tête, qui auraient pu entraîner de sa part des réponses précises.

« Je vais quand même l'attendre... on ne sait jamais avec Noëlle... Vous croyez qu'elle habite encore le quartier ?... Figurez-vous qu'elle m'a donné rendez-vous ici... Vous la connaissez depuis longtemps ? »

Mais quand il m'a servi ma grenadine, je n'ai rien dit.

J'ai sorti de ma poche la carte que m'avait confiée Hutte. Aujourd'hui, un siècle plus tard, je me suis arrêté d'écrire un instant à la page 14 du bloc Clairefontaine pour regarder encore cette carte qui fait partie du « dossier ». « Certificat d'émission d'une autorisation de réception sans surtaxe des correspondances poste restante. Autorisation n° 1. Nom : Lefebvre. Prénom : Noëlle, demeurant à Paris 15ᵉ. Rue et N° : Convention, 88. Photographie du titulaire. Est autorisée à recevoir, sans surtaxe, les correspondances qui lui sont adressées poste restante. »

La photo est beaucoup plus grande qu'un simple photomaton. Et trop foncée. On ne saurait pas dire la couleur des yeux. Ni des cheveux : bruns ? châtain clair ? À la terrasse du café, cet après-midi-là, je fixais avec le plus d'attention possible ce visage dont on distinguait à peine les traits, et je n'étais pas sûr de pouvoir reconnaître Noëlle Lefebvre.

Je me souviens que c'était le début du printemps. La petite terrasse se trouvait au soleil et par moments le ciel s'assombrissait. Un auvent, au-dessus de la terrasse, me protégeait des averses. Quand une silhouette s'avançait sur le trottoir, qui aurait pu être celle de Noëlle Lefebvre, je la suivais du regard en attendant de voir si elle entrait dans le café. Pourquoi Hutte ne m'avait-il pas donné d'indications plus précises sur la manière de l'aborder ? « Vous vous débrouillerez. Prenez-la en filature pour que je sache si elle traîne encore dans ce quartier. » L'expression « en filature » avait provoqué chez moi un éclat de rire. Et Hutte m'avait observé en silence, les sourcils froncés, l'air de me reprocher ma légèreté.

L'après-midi passait lentement, et j'étais toujours

assis à l'une des tables de la terrasse. J'imaginais les trajets que faisait Noëlle Lefebvre de son immeuble à la poste, de la poste au café. Elle fréquentait sans doute d'autres endroits du quartier : un cinéma, quelques boutiques... Deux ou trois personnes qu'elle croisait souvent dans la rue auraient pu témoigner de son existence. Ou une seule personne dont elle partageait la vie.

Je m'étais dit : je me rendrai chaque jour au guichet de la poste restante. Une lettre finirait bien par me tomber entre les mains, l'une de ces lettres qui n'arrivent jamais à leur destinataire. Parti sans laisser d'adresse. Ou bien, je resterais quelque temps dans le quartier. J'y prendrais une chambre d'hôtel. J'arpenterais la zone comprise entre l'immeuble, la poste et le café, et j'élargirais mon champ d'observation par un mouvement concentrique. Je demeurerais attentif aux allées et venues des gens sur le trottoir et me familiariserais avec leurs visages comme celui qui guette les oscillations d'un pendule et qui est prêt à capter les ondes les plus furtives. Il suffisait d'avoir un peu de patience, et, à cette époque de ma vie, je me sentais capable d'attendre pendant des heures sous le soleil et les averses.

Quelques clients étaient entrés dans le café, mais parmi eux je n'avais pas reconnu Noëlle Lefebvre. À travers la vitre, derrière moi, je les observais. Ils étaient assis sur les banquettes – sauf l'un d'eux qui se tenait devant le zinc et parlait au patron. Celui-là, je l'avais repéré à son arrivée. Il devait avoir mon âge, en tout cas pas plus de vingt-cinq ans. Il était grand, les cheveux bruns, et portait une veste de mouton retourné. Le patron me désignait d'un geste presque imperceptible, et l'autre avait fixé son regard sur moi. Mais avec la vitre qui nous séparait, il m'était facile, en détournant légèrement la tête, de faire comme si je n'avais rien remarqué.

« Monsieur, s'il vous plaît... monsieur... »

J'entends parfois ces mots dans mes rêves, prononcés sur un ton de douceur affectée, mais où perçait une menace. C'était le jeune homme au mouton retourné. Je faisais semblant de l'ignorer.

« S'il vous plaît... monsieur... »

Le ton était plus sec, comme de quelqu'un qui vous aurait surpris en flagrant délit. J'ai levé la tête vers lui.

« Monsieur... »

J'étais étonné par ce terme « monsieur » qu'il utilisait, bien que nous ayons le même âge. Ses traits étaient contractés, et je sentais chez lui une certaine méfiance à mon égard. Je lui ai fait un sourire très large, mais ce sourire semblait l'exaspérer.

« On m'a dit que vous cherchiez Noëlle... »

Il restait là, devant ma table, comme s'il voulait me provoquer.

« Oui. Vous pourriez peut-être me donner de ses nouvelles...

— À quel titre ? » m'a-t-il demandé d'une voix hautaine.

J'avais envie de me lever et de le planter là.

« À quel titre ? Eh bien, c'est une amie. Elle m'a chargé d'aller chercher son courrier poste restante. »

Je lui montrais la carte sur laquelle était agrafée la photo de Noëlle Lefebvre.

« Vous la reconnaissez ? »

Il contemplait la photo. Puis, il a tendu le bras comme s'il voulait saisir la carte, mais je l'en ai empêché d'un geste brusque.

Il a fini par s'asseoir à ma table, ou plutôt il s'est laissé tomber sur la chaise d'osier. Je voyais bien qu'il me prenait maintenant au sérieux.

« Je ne comprends pas... Vous alliez chercher son courrier poste restante ?

— Oui. Dans un bureau de poste, un peu plus haut, rue de la Convention.

— Roger était au courant ?

— Roger ? Quel Roger ?

— Vous ne connaissez pas son mari ?

— Non. »

J'ai pensé que j'avais lu trop vite la fiche dans le bureau de Hutte, une fiche très courte, à peine trois paragraphes. Pourtant, il me semblait qu'on ne précisait pas que Noëlle Lefebvre était mariée.

« Vous voulez parler d'un Roger Lefebvre ? » lui ai-je demandé.

Il a haussé les épaules.

« Pas du tout. Son mari s'appelle Roger Behaviour...
Et vous, qui êtes-vous exactement ? »

Il avait rapproché son visage du mien et il me fixait d'un regard insolent.

« Un ami de Noëlle Lefebvre... Je l'ai connue sous son nom de jeune fille... »

Je l'avais dit d'une voix si calme qu'il s'est un peu radouci.

« C'est drôle que je ne vous aie jamais vu avec Noëlle...

— Je m'appelle Eyben. Jean Eyben. J'ai connu Noëlle Lefebvre il y a quelques mois. Elle ne m'a jamais dit qu'elle était mariée. »

Il gardait le silence et paraissait vraiment désappointé.

« Elle m'a demandé d'aller chercher son courrier poste restante. Je pensais qu'elle n'habitait plus ce quartier.

— Mais si, a-t-il dit d'une voix grave. Elle habitait le quartier avec Roger. Au 13 de la rue Vaugelas. Depuis, je n'ai plus de nouvelles.

— Et quel est votre nom ? »

J'ai aussitôt regretté de lui avoir posé cette question de manière abrupte.

« Gérard Mourade. »

Décidément, la fiche de Hutte comportait de nombreuses lacunes. Aucune mention n'y était faite d'un Gérard Mourade. Pas plus que d'un Roger Behaviour, le prétendu mari de Noëlle Lefebvre.

« Noëlle ne vous a jamais parlé de Roger ? ni de moi ?

C'est quand même étrange... Je m'appelle Gé-rard Mou-rade... »

Il avait répété son nom très fort, en détachant les syllabes, comme s'il voulait me convaincre une fois pour toutes de son identité et réveiller en moi un souvenir perdu, ou plutôt me persuader de l'importance de Gérard Mourade.

« ... J'ai l'impression que nous ne parlons pas de la même personne... »

J'avais envie de lui répondre, pour le rassurer, qu'il avait raison et qu'après tout il existait certainement en France de nombreuses Noëlle Lefebvre. Et nous nous serions quittés sur ces bonnes paroles.

J'essaye tant bien que mal de transcrire le dialogue que j'ai eu cet après-midi-là avec le dénommé Gérard Mourade, mais il n'en reste que des bribes après un si grand nombre d'années. J'aurais voulu que tout ait été enregistré sur la bande d'un magnétophone. Ainsi, en l'écoutant aujourd'hui, je n'aurais pas eu le sentiment que notre conversation avait eu lieu très loin dans le passé, mais qu'elle appartenait à un présent éternel. On aurait entendu en bruit de fond, et pour toujours, le brouhaha d'un après-midi de printemps rue de la Convention, et même des éclats de voix d'enfants revenant de l'école voisine – des enfants qui seraient devenus aujourd'hui des adultes d'un certain âge. Et cette bouffée de présent, ayant réussi à traverser, intacte, près d'un demi-siècle, m'aurait mieux fait comprendre quel était mon état d'esprit de l'époque. Hutte m'avait offert un emploi dans son agence – un emploi bien subalterne –, mais je ne désirais en aucun cas m'engager dans cette voie-là. J'avais pensé que ce travail provisoire me fournirait toute une documentation qui pourrait m'inspirer plus tard si je me consacrais à la littérature. L'école de la vie, en quelque sorte.

Il m'avait expliqué qu'il avait reçu quelques semaines auparavant la visite d'un « client » dont le nom figurait en tête de la fiche : Brainos, 194, avenue Victor-Hugo. Celui-ci lui avait demandé d'enquêter sur la disparition de Noëlle Lefebvre. Et moi, dès que je m'étais retrouvé au guichet de la poste restante, j'avais espéré qu'une lettre ou un télégramme adressé à cette Noëlle Lefebvre nous aurait mis sur sa piste. À la terrasse du café, et à mesure que le temps passait, l'espoir m'avait repris. J'étais presque sûr qu'elle allait apparaître d'un instant à l'autre.

C'était la fin de l'après-midi. Gérard Mourade était toujours assis en face de moi.

« Nous parlons de la même personne », lui ai-je dit.

Je lui tendais de nouveau la carte de la poste restante. Il l'a examinée pendant un long moment.

« C'est bien elle. Mais pourquoi rue de la Convention ? Elle habitait avec Roger rue Vaugelas.

— Vous ne croyez pas que c'était son adresse avant qu'elle se marie ?

— Roger m'a dit qu'elle venait d'arriver à Paris quand il l'a rencontrée. »

Les renseignements qu'avait rassemblés Hutte étaient approximatifs. Il avait dû rédiger la fiche à la hâte, comme un mauvais élève son devoir quotidien de vacances.

« Mais vous, j'aimerais bien savoir où vous avez connu Noëlle... »

Il me considérait d'un œil méfiant, de nouveau. J'ai eu la tentation de lui dire la vérité, tant ce jeu du chat et de la souris finissait par me lasser. J'ai cherché mes mots : fiche... agence... Ces mots me gênaient. Et même le nom « Hutte » me mettait mal à l'aise, à cause d'une sonorité inquiétante qu'il n'avait pas jusque-là. Je n'ai rien dit. Je me suis retenu à temps. Ensuite, je crois que j'éprouvais le même soulagement de ne pas lui avoir dévoilé mon vrai visage que celui qui a enjambé le parapet d'un pont pour se jeter dans le vide et y renonce. Oui, un soulagement. Et aussi une légère sensation de vertige.

« J'ai connu Noëlle Lefebvre il y a quelques mois chez un certain Brainos. »

C'était le nom de celui que Hutte avait reçu et qui voulait savoir les raisons de la disparition de Noëlle Lefebvre. Mais je ne me trouvais pas à l'agence ce jour-là, et je le regrettais. Hutte ne m'avait fait aucune description de cet homme.

« Vous connaissez ce Brainos ? lui ai-je demandé.

— Pas du tout. Je n'ai jamais entendu ce nom dans la bouche de Noëlle ou de Roger. »

Il attendait sûrement que je lui donne des détails sur cet homme, mais je ne savais rien de lui. Et la fiche où son nom était cité ne précisait que son adresse : 194, avenue Victor-Hugo. Hutte aurait quand même pu m'apporter quelques éclaircissements concernant son « client » avant de m'envoyer sur le terrain.

Il fallait encore que j'invente quelque chose et que je prêche le faux pour tenter d'apprendre le vrai. Bien sûr, j'avais toujours eu le goût de m'introduire dans la vie des autres, par curiosité et aussi par un besoin de mieux les comprendre et de démêler les fils embrouillés de leur vie – ce qu'ils étaient souvent incapables de faire eux-mêmes parce qu'ils vivaient leur vie de trop près alors que j'avais l'avantage d'être un simple spectateur, ou plutôt un témoin, comme on aurait dit dans le langage judiciaire.

« Brainos... c'est un médecin... J'ai connu Noëlle Lefebvre un après-midi du mois de mai dernier dans la salle d'attente de ce médecin... »

Il avait froncé les sourcils, l'air de me croire à demi.

« Au 194, avenue Victor-Hugo... En mai dernier... »

J'essayais de trouver d'autres détails pour mieux le convaincre que je ne mentais pas, mais j'avoue que ce jour-là j'avais de la peine à me livrer à cet exercice. Avais-je perdu la main ?

« Je crois qu'elle comptait sur ce docteur Brainos pour lui délivrer une ordonnance...

— Une ordonnance de quoi ? »

J'étais incapable de répondre. J'aurais dû, avant de prendre le métro jusqu'à la station Javel, écrire quelques notes sur un carnet, une sorte d'aide-mémoire. Ne pas improviser. « Docteur Brainos »... Cela sonnait faux.

« Elle était anxieuse... Elle se faisait du souci pour son travail... Elle avait besoin de tranquillisants...

— Vous croyez vraiment ? Pourtant, elle était soulagée d'avoir un travail chez Lancel... »

Lancel ? Il s'agissait peut-être de la grande maroquinerie de la place de l'Opéra. C'était le moment de prendre un risque pour en savoir plus, de bluffer, selon l'expression des joueurs de poker.

« Elle me disait qu'elle n'aimait pas le trajet en métro, chaque matin et chaque soir, pour aller à son travail... De chez elle à la maroquinerie Lancel, place de l'Opéra, cela fait au moins deux changements, non ? »

Il hochait la tête, comme s'il approuvait. Oui, j'avais deviné juste. Et pourtant, je ne me sentais plus le courage, en cette fin d'après-midi, de continuer à jouer à ce jeu. Je risquais de m'égarer pour de bon à force d'avancer à l'aveuglette.

« C'est vrai, m'a-t-il dit, elle se plaignait souvent des trajets en métro jusque chez Lancel... Ce n'était pas pratique quand on habitait ce quartier...

— Et Roger, quel était son métier ? »

J'avais posé cette question d'une voix distraite, comme si je n'y attachais aucune importance. C'était une méthode que m'avait indiquée Hutte pour faire parler les gens. « Sinon, me disait-il, ils risquent de se cabrer. »

« Roger ? Oh, un peu tous les métiers... Quand je l'ai connu, il travaillait comme chauffeur dans une entreprise de déménagement... Et puis chez Orève, un fleuriste du 16ᵉ arrondissement... Il y a quelques mois, il avait trouvé une place d'aide-régisseur dans un théâtre... grâce à moi... »

En énumérant les différents emplois de ce Roger, il paraissait éprouver une certaine admiration pour lui.

« Roger rebondissait toujours... »

Apparemment, c'était une expression que lui et Roger devaient souvent répéter, une sorte de mot de passe. Mais à peine l'avait-il prononcée que son sourire s'était figé.

« Et maintenant, Dieu sait où il est... La dernière fois que je l'ai vu, il m'a dit qu'il partait à la recherche de Noëlle...

— Elle a disparu la première ? ai-je demandé.

— Oui. Un soir, elle n'est pas revenue rue Vaugelas. Le lendemain, non plus. J'ai accompagné Roger chez Lancel. Là-bas, ils n'étaient au courant de rien.

— Et vous n'avez aucune idée, ni vous ni son mari, de ce qui a bien pu se passer ? »

J'avais choisi une formule d'ordre général : « ce qui

a bien pu se passer », pour qu'il se sente libre de me faire une confidence ou un aveu. C'était encore une leçon de Hutte : ne pas poser de question trop précise. Éviter toute agressivité au cours d'un interrogatoire. Amener « les choses en douceur ».

J'ai cru percevoir une gêne, une hésitation, chez lui.

« Qu'est-ce que vous voulez dire par "ce qui a bien pu se passer"? »

Oui, il était visiblement mal à l'aise, comme s'il me soupçonnait de savoir quelque chose. Mais quoi? J'ai préféré lui répondre par un haussement d'épaules. En silence.

« Et vous, qu'est-ce que vous faites dans la vie? »

J'avais pris un ton léger. Je lui souriais. Je sentais que j'avais éveillé sa méfiance, de nouveau, et qu'il me cachait peut-être un détail concernant Noëlle Lefebvre, son mari, et lui-même. Deux personnes ne disparaissent pas aussi rapidement sans qu'un de leurs proches ait quelque idée, même confuse, là-dessus.

« Moi? Je suis comédien. Je suis inscrit depuis un an au cours Paupelix.

— Et ça marche? »

J'avais sans doute manqué de tact en lui posant cette question trop brutale.

« Je fais de la figuration dans des films, m'a-t-il dit sèchement. Ça me permet de payer mes cours. »

Je n'avais jamais entendu parler du cours Paupelix. Les jours suivants, je me suis renseigné sur celui-ci de sorte qu'aujourd'hui je peux écrire le nom sans faute d'orthographe : Paupelix, professeur d'art dramatique, 37, rue de l'Arcade, Paris 8e. Et voilà qui m'expliquait certaines expressions du visage, certaines poses et certains gestes un peu trop étudiés que j'avais remarqués chez lui et que l'on avait dû lui enseigner au cours Paupelix.

« Mais alors, vous voyiez souvent Noëlle? Je ne comprends vraiment pas qu'elle ne vous ait jamais parlé de Roger... »

Il cherchait sans doute à savoir quel genre de rapports existait entre Noëlle Lefebvre et moi, et cela provoquait chez lui de l'inquiétude.

« Elle vous parlait quand même de sa vie?

— Pas du tout, lui ai-je dit. Nous ne nous sommes rencontrés que trois ou quatre fois... le soir, à la sortie de son travail chez Lancel... Dans le café d'en face, boulevard des Capucines... »

Au début de la fiche, il était indiqué sa date et son lieu de naissance, mais celui-ci de manière imprécise : « un village aux environs d'Annecy, Haute-Savoie ».

« Nous nous sommes aperçus que nous étions nés dans la même région. Du côté d'Annecy. Nous en parlions souvent. »

Il paraissait ignorer ce détail de la vie de Noëlle Lefebvre et ne pas y attacher d'importance. Mais j'étais sûr que Hutte aurait pensé la même chose que moi : il faut toujours savoir dans quel quartier et dans quel village les gens sont nés.

« Et les lettres poste restante qu'elle vous envoyait chercher, qui pouvait bien les lui écrire ?

— Aucune idée. Sur l'enveloppe de ces lettres, j'avais remarqué que c'était toujours la même écriture... à l'encre bleu Floride... »

Je me suis demandé si cela servait à grand-chose d'inventer de tels détails. J'aurais voulu que lui aussi puisse me donner quelques autres précisions concernant Noëlle Lefebvre. Mais cela ne venait pas.

« Une encre bleu Floride... ? »

Pendant quelques secondes, j'ai cru que je l'avais mis sur une piste. Mais non. Tout simplement, il ne comprenait pas ce que signifiait « bleu Floride ».

« Un bleu très clair, lui ai-je dit.

— Et ces lettres venaient de France ou de l'étranger ? »

Il m'avait posé la question comme s'il menait lui aussi une enquête.

« Malheureusement, je n'ai pas fait attention aux timbres.

— Si j'avais su, j'aurais dit à Roger de se méfier d'elle... »

Sa voix était devenue métallique et son regard, très dur. Ce changement brutal d'expression lui était-il naturel ou l'avait-il appris au cours Paupelix ?

Je tente, avec le plus d'exactitude possible, d'écrire noir sur blanc les paroles que nous avons échangées ce jour-là. Mais beaucoup d'entre elles m'ont échappé.

Toutes ces paroles perdues, certaines que vous avez prononcées vous-même, celles que vous avez entendues et dont vous n'avez pas gardé le souvenir, et d'autres qui vous étaient adressées et auxquelles vous n'avez prêté aucune attention... Et quelquefois, au réveil, ou très tard dans la nuit, une phrase vous revient en mémoire, mais vous ignorez qui vous l'a chuchotée dans le passé.

Il a regardé sa montre-bracelet et il s'est levé brusquement.

« Je dois aller rue Vaugelas... J'aurai peut-être des nouvelles de Roger et de Noëlle... »

Espérait-il du courrier, glissé sous la porte, comme moi tout à l'heure, poste restante ?

« Je peux vous accompagner ?

— Si vous voulez... Roger m'avait confié une clé de son appartement.

— Noëlle venait souvent dans ce café ? » lui ai-je demandé.

Et j'ai été surpris de l'avoir appelée pour la première fois par son prénom.

« Oui. Roger et moi, nous la retrouvions ici, le soir, quand elle avait fini son travail chez Lancel. J'étais si content que Roger se soit marié... Vous savez, il n'y avait aucune rivalité entre Noëlle et moi vis-à-vis de Roger. »

Apparemment, il n'avait pu s'empêcher de me faire cette confidence, mais j'ai senti qu'il le regrettait déjà à la brusque gêne qu'exprimait son regard.

Nous suivions la rue de la Convention vers l'est, et je n'ai pas besoin de consulter un plan de Paris pour me rendre compte aujourd'hui que c'était vers l'intérieur des terres, jusqu'au fond de Vaugirard.

« Nous en avons pour environ un quart d'heure à pied, m'a-t-il dit. Ça ne vous dérange pas ? »

Pour la première fois, il me témoignait un peu de sympathie. Était-il soulagé de marcher en compagnie de quelqu'un à cette heure où la nuit tombe et où la disparition de Noëlle Lefebvre et de Roger Behaviour devait lui peser plus qu'à un autre moment de la journée ? Et je me disais aussi que cette marche avec lui dans ce quartier m'aiderait à comprendre quelle était la vie que menaient ces trois personnes. L'autre soir, en me tendant la fiche dans sa chemise bleu ciel, Hutte avait eu un sourire ironique. « À vous de jouer, mon vieux. Débrouillez-vous ! Rien ne vaut une enquête de terrain. »

Nous passions devant le bureau des PTT où j'avais espéré, au début de l'après-midi, que l'on me remettrait une lettre adressée à Noëlle Lefebvre. Le bureau était encore ouvert. J'allais proposer à Gérard Mourade de me présenter de nouveau au guichet de la poste restante. Il y avait peut-être un courrier du soir. Mais je me suis retenu à temps. Je préférais y aller seul, les jours suivants. Vraiment, je ne voyais pas pourquoi mêler cet individu de façon trop étroite à ma recherche. Désormais, c'était une affaire intime entre Noëlle Lefebvre et moi.

« En somme, lui ai-je dit, vous viviez ici une vie de quartier ? »

Je cherchais à savoir quels lieux, quels gens ils fréquentaient tous les trois.

« Pas pendant la journée. C'est le soir que nous nous retrouvions.

— Et vous aussi, vous habitez par ici ?

— Oui, dans un studio quai de Grenelle. Près d'un dancing où nous allions parce que Noëlle aimait bien cet endroit.

— Un dancing ?

— Le dancing de la Marine, sur le quai. Et pourtant, nous ne dansions jamais, Roger et moi. »

J'ai été surpris par cette remarque qu'il avait faite d'une voix très grave.

« Vous ne dansiez jamais ? »

Je crois que j'avais pris un ton ironique. Mais lui, apparemment, n'avait pas envie de rire. J'en ai conclu que le dancing de la Marine n'était pas un endroit à son goût.

« Roger connaissait le gérant... Noëlle ne vous en a jamais parlé ? »

Il m'avait posé cette question comme s'il s'agissait là d'un sujet délicat.

« Non, jamais... Je vous ai déjà dit que Noëlle ne me parlait pas de sa vie personnelle... mais de choses légères. D'Annecy, par exemple, que nous connaissions tous les deux. »

Il paraissait soulagé. Peut-être avait-il fait allusion à ce dancing et à son « gérant » pour tâter le terrain et pour savoir si Noëlle Lefebvre m'avait confié quelque chose de compromettant.

« Roger avait connu le gérant quand il travaillait dans cette entreprise de déménagement... voilà... c'est tout... »

J'ai eu le sentiment qu'il ne servirait à rien de lui demander d'autres précisions. Il ne répondrait pas.

Le reste du chemin, nous avons marché côte à côte en silence. Pour garder en mémoire les quelques noms qu'il m'avait donnés concernant Noëlle Lefebvre et qui ne figuraient pas sur la fiche, je me les répétais : Roger Behaviour, Lancel, le dancing de la Marine... Cela ne suffirait pas. Il faudrait encore des détails qui sembleraient à première vue sans aucun rapport les uns avec les autres, jusqu'au moment où de nombreuses pièces du puzzle seraient rassemblées. Et il ne resterait plus qu'à les mettre en ordre pour que l'ensemble apparaisse à peu près au grand jour.

« Nous pouvons couper par là », m'a-t-il dit.

Nous étions arrivés au milieu de la rue Olivier-de-Serres, et il me désignait une impasse qui s'enfonçait entre les immeubles. Il me semble, avec le recul du temps, qu'elle était plantée d'arbres et que l'herbe avait poussé entre les pavés. Aujourd'hui, elle m'apparaît comme un chemin de campagne, peut-être parce qu'il faisait nuit. Nous avons traversé une cour d'immeuble et débouché par une porte cochère dans la rue Vaugelas.

Au rez-de-chaussée, trois petites pièces. La fenêtre de l'une donnait sur la rue. Les rideaux n'étaient pas tirés de sorte qu'un passant aurait pu nous voir, Gérard Mourade et moi. Parfois, dans mes rêves, c'est moi ce passant. La nuit dernière, sans doute parce que j'avais écrit les pages précédentes pendant la journée, je suivais de nouveau le chemin de campagne à travers les immeubles. La fenêtre de l'appartement était éclairée. Le front contre la vitre, je voyais d'où venait la lumière : la porte entrebâillée de la chambre voisine. Une lampe de chevet que l'on avait oublié d'éteindre ? À l'instant où j'allais frapper au carreau, je me suis réveillé.

Nous étions dans la petite pièce dont la fenêtre donnait sur la cour. Gérard Mourade avait allumé la lampe, sur une table basse. Cette pièce devait servir de salon. Un canapé et deux fauteuils de cuir.

« Il reste quelques vêtements de Noëlle dans un placard, m'a dit Mourade. Roger a emporté toutes ses affaires avec lui comme s'il ne voulait pas revenir. »

Ce détail semblait beaucoup le préoccuper. Il se tenait à côté de moi et il gardait le silence.

« C'est quand même bizarre que ni l'un ni l'autre ne vous donnent signe de vie », lui ai-je dit.

Il était là, immobile, perdu dans ses pensées.

« Vous restez ici un moment? m'a-t-il dit. Je vais voir le voisin du dessus. Roger le connaissait bien. Il a peut-être des nouvelles. »

Mais j'avais l'impression qu'il n'y croyait pas beaucoup et qu'il avait prononcé cette phrase pour se rassurer.

Je me suis retrouvé seul dans ce petit salon dont la fenêtre donnait sur la cour. J'ai éteint la lampe et, par la porte entrebâillée, je me suis glissé dans la pièce côté rue. Un lit assez large, et une bibliothèque basse le long du mur. Je n'ai pas allumé la lampe de chevet de crainte qu'un passant ne me voie à travers la vitre.

Une vague clarté venait de la fenêtre, et cela me suffisait. Je me suis assis sur le bord du lit, tout près de la table de nuit, comme si j'avais été attiré là par un aimant et que je retrouvais les habitudes d'une vie antérieure.

J'ai sorti le tiroir de la table de nuit. Il était de moitié plus court que celle-ci, de sorte qu'il laissait place à un double fond. J'ai tendu le bras et découvert un carnet à la couverture cartonnée qu'on avait caché là. J'ai remis le tiroir à sa place et, au moment où je serrais dans ma main le carnet, j'ai entendu Gérard Mourade qui claquait la porte d'entrée.

« Vous êtes là ? Vous êtes dans la chambre de Noëlle et de Roger ? »

Je ne lui ai pas répondu. J'ai glissé le carnet dans la poche intérieure de ma veste et je l'ai rejoint.

« Pourquoi avez-vous éteint ?

— Je craignais que l'on me prenne pour un voleur si l'on remarquait de la lumière à la fenêtre... »

J'aurais pu lui montrer le carnet, mais je me suis dit qu'il n'aurait rien compris à mon geste. Comment le lui expliquer, d'ailleurs ? Ce geste, je l'avais fait à la manière d'un somnambule, dans un état second, et pourtant c'était un geste précis et spontané, comme si j'avais su d'avance que, derrière le tiroir, il y avait un double fond dans cette table de nuit et qu'on y avait caché quelque chose. Hutte m'avait déclaré que l'une des qualités nécessaires à son métier c'était l'intuition. Et pour comprendre mon geste de ce soir-là, je consulte un dictionnaire en ce moment même. « Intuition : forme de connaissance immédiate qui ne recourt pas au raisonnement. »

« Vous avez des nouvelles ? lui ai-je demandé.

— Aucune. »

J'ai espéré que dans ce carnet que je venais de découvrir une porte s'ouvrirait en direction de Noëlle Lefebvre.

« Il faudrait que vous demandiez des renseignements à d'autres personnes qui les ont connus. »

Il a haussé les épaules. Il ne pensait même pas à

allumer la lampe, et nous restions tous deux debout dans la pénombre, au milieu du petit salon.

« Elle s'entendait bien avec son mari ?

— Oui, très bien. Sinon, je n'aurais pas conseillé à Roger de l'épouser. »

Il avait repris sa voix hautaine.

« Et vous n'avez jamais envisagé, avec Roger Behaviour, de prévenir la police de sa disparition ?

— La police ? Pourquoi ? »

Décidément, je ne pouvais pas tirer grand-chose de lui. Je gravissais une pente glissante sans avoir aucun point d'appui. Un instant, j'ai eu la tentation de sortir le carnet de la poche intérieure de ma veste et de lui proposer de découvrir ensemble ce que Noëlle Lefebvre y avait écrit – car j'étais sûr que ce carnet lui appartenait.

« Et vous ? Puisque vous l'avez connue, peut-être vous donnera-t-elle signe de vie ? »

Il paraissait désemparé brusquement et il me fixait de son regard incertain. Voulait-il me faire d'autres confidences ?

Il croyait donc tout ce que je lui avais dit concernant Noëlle Lefebvre. Et j'avais, en ce temps-là, une telle facilité à m'introduire dans la vie des autres que je me suis demandé si je ne l'avais pas rencontrée, elle, dans ce café boulevard des Capucines, le soir, après son travail.

« Si elle me donne signe de vie, lui ai-je dit, je ne manquerai pas de vous prévenir. »

36

Nous sommes restés quelques instants encore, tous les deux, debout dans la pénombre. Peut-être éprouvait-il la même sensation que moi : celle d'être entré par effraction dans un appartement vide et abandonné depuis longtemps, et dont les derniers locataires n'avaient laissé aucune trace de leur passage.

Un agenda de toile noire avec le chiffre de l'année en caractères dorés.

Le soir même, j'ai recopié sur une feuille blanche le peu de chose que Noëlle Lefebvre y avait consigné. Cet agenda lui appartenait, puisque son nom figurait en haut de la page de garde, de la même grande écriture et de la même encre bleue que le reste.

La dernière note datait du 5 juillet : *Gare de Lyon, 9 h 50.* De janvier à juin, quelques noms, quelques adresses, quelques lieux et heures de rendez-vous :

7 janvier	*Hôtel Bradford 19 h*
16 janvier	*Cook de Witting*
12 février	*Andrée Roger et le petit Pierre rue Vitruve*
14 février	*Miki Durac boulevard Brune*
17 février	*La Boîte à Magie, 13 rue de la Félicité 17ᵉ*
	20 h
21 mars	*Jeanne Faber*
17 avril	*Josée, 5 rue Yvon-Villarceau 16 h*

15 mai	*Pierre Mollichi, Georges, dancing de la Marine 19 h*
7 juin	*Anita PRO 76 74*
8 juin	*téléphoner à M. Bruneau*

À la date du 10 juin, elle avait recopié un poème :

> *Le ciel est, par-dessus le toit,*
> *Si bleu, si calme !*
> *Un arbre, par-dessus le toit,*
> *Berce sa palme.*

Des sommes d'argent, écrites non pas en chiffres mais en toutes lettres :

3 janvier	*Six cents francs*
14 février	*Mille sept cents francs*

À la date du 11 février :

> *Train arrivée Vierzon 17 h 27 Pruniers-en-Sologne – château de Chêne-Moreau.*

À la date du 16 avril, une annotation, la plus longue de toutes celles de l'agenda :

> *Demander de la part de Georges à Marion Le Phat Vinh si elle peut trouver du travail à Roger dans sa société de transport (Viot et Cie, 5, rue Cognacq-Jay)*

Et cette phrase, le 28 juin, tracée d'une écriture beaucoup plus large que d'habitude :

Si j'avais su...

Voilà ce qui complétait la fiche de Hutte ainsi que les noms que j'avais notés, dès mon retour du 15ᵉ arrondissement :

Roger Behaviour
Gérard Mourade
Cours Paupelix
Lancel
13, rue Vaugelas
Dancing de la Marine

Pas grand-chose. Les jours suivants, je me suis rendu aux adresses qu'elle avait écrites sur l'agenda. Malheureusement sans les numéros. Et l'après-midi où j'ai échoué boulevard Brune entre deux rangées d'immeubles massifs qui me semblaient se prolonger à l'infini, j'ai compris que je n'avais aucune chance de retrouver Miki Durac sur ce boulevard, pas plus qu'Andrée Roger et le petit Pierre rue Vitruve. PRO 76 74 ne répondait plus. Aucune Anita. Impossible d'identifier les noms propres sans adresses. J'avoue que je n'ai pas eu le courage de me rendre rue Yvon-Villarceau. Je me suis contenté de consulter l'annuaire et de composer les différents numéros de téléphone de l'immeuble du 5. Et de dire, chaque fois : « Pourrais-je parler à Josée ? » Mais, après trois réponses négatives, je me suis lassé de répéter cette phrase. En somme, l'agenda donnait la même impression de vague que la fiche rédigée par Hutte et qui contenait si peu de détails. La date et le lieu approximatif de naissance de Noëlle Lefebvre, son prétendu domicile, 88, rue de la Convention dans le 15e arrondissement, le dénommé Brainos qui avait remis à Hutte la carte qu'elle utilisait pour chercher du courrier à la poste restante. Et ce Brainos, sans qu'il soit rien mentionné d'autre à son sujet, se disait « un ami de Noëlle Lefebvre ».

Oui, décidément, il y avait des blancs dans cette vie. Plus encore qu'à la lecture de la fiche incomplète dans sa chemise bleu ciel, cette idée m'était venue à l'esprit en feuilletant les nombreuses pages vierges de l'agenda. Sur trois cent soixante-cinq jours, une vingtaine seulement avaient retenu l'attention de Noëlle Lefebvre, et par de très brèves indications, de sa grande écriture, elle les avait sortis du néant. On ne saurait jamais quel avait été son emploi du temps, les personnes qu'elle avait rencontrées et les lieux où elle s'était trouvée les autres jours. Et parmi toutes ces pages blanches et vides, je ne pouvais détacher les yeux de la phrase qui chaque fois me surprenait quand je feuilletais l'agenda : « Si j'avais su... » On aurait dit une voix qui rompait le silence, quelqu'un qui aurait voulu vous faire une confidence, mais y avait renoncé ou n'en avait pas eu le temps.

L'enquête ne progressait pas. Un après-midi, je longeais de nouveau la rue de la Convention jusqu'au bureau des PTT en espérant ne pas croiser Mourade. J'attendais devant le guichet de la poste restante. L'homme a pris une lettre dans le casier après avoir consulté la carte de Noëlle Lefebvre. Il est revenu vers moi et m'a fait signer dans un registre. Il m'a demandé une pièce d'identité. Je lui ai présenté mon passeport belge. Il a paru surpris, en a tourné lentement les pages, et l'a refermé en gardant les yeux fixés sur sa reliure vert pâle comme s'il soupçonnait ce document d'être faux. J'ai pensé qu'il ne me donnerait jamais la lettre. Mais il m'a tendu, d'un geste brusque, le passeport belge, la carte de Noëlle Lefebvre et la lettre.

Dehors, j'ai suivi dans l'autre sens la rue de la Convention. J'avais glissé l'enveloppe dans l'une des poches de ma veste et je marchais d'un pas rapide, du pas de quelqu'un qui sent qu'il a été pris en filature. De nouveau, je craignais de rencontrer Mourade. C'est seulement lorsque j'ai laissé derrière moi la rive gauche et que j'étais sur le pont Mirabeau que j'ai ouvert la lettre.

Noëlle,

Après notre dernier entretien au téléphone, je ne savais plus trop si tu voulais revoir Sancho et revenir avec lui à Rome. Ce serait pour toi la meilleure solution.

Sancho croyait que tu étais définitivement réconciliée avec lui quand vous vous êtes retrouvés le mois dernier à La Caravelle et il a été déçu que tu ne lui donnes plus signe de vie.

Je suis passé à l'appartement de la rue de la Convention, mais je l'ai trouvé vide et tu sembles avoir déménagé. Tu y avais oublié ta carte de la poste restante. Comme j'ignore où te joindre maintenant, j'espère que tu vas encore chercher ton courrier – avec une carte d'identité ? Je t'envoie à tout hasard cette lettre poste restante, et d'ailleurs je me demande pourquoi tu tenais à ce qu'on t'envoie ton courrier là-bas et quel genre de courrier cela pouvait être. Je te rappelle que je n'ai jamais communiqué ton adresse à Sancho comme je te l'avais promis, ni ne lui ai dit que tu avais trouvé un travail chez Lancel. Mais mon but a toujours été de vous réunir tous les deux et il me semble que le moment est venu pour cela. Cette situation ne peut plus durer et je le dis pour ton bien.

Il vaudrait mieux que tu viennes à Chêne-Moreau et que tu y restes quelque temps. Sancho t'y rejoindrait et vous retourneriez à Rome.

Si tu reçois cette lettre, dis-moi ce que tu penses de cela et prends une décision rapide. Paul Morihien viendrait te chercher à la gare de Vierzon.

Téléphone-moi le plus vite possible.

GEORGES

PS : Si tu veux me laisser un message ou me contacter, tu peux toujours voir Pierre Mollichi à son bureau au dancing de la Marine, comme tu l'as déjà fait.

L'enveloppe portait le cachet de « Paris – rue d'Anjou ».

Ce soir-là, j'ai montré la lettre à Hutte et lui ai fait remarquer que les noms « Vierzon » et « Chêne-Moreau » figuraient aussi dans l'agenda de Noëlle Lefebvre.

« Vous croyez avoir trouvé une piste ? »

Il avait un ton si désabusé qu'il m'a fait perdre tout à coup ma belle confiance. Comme si c'était une corvée pour lui, il a décroché le combiné du téléphone.

« J'aimerais que vous me donniez le numéro du château de Chêne-Moreau à Pruniers-en-Sologne. »

Il y a eu une longue attente au cours de laquelle je craignais qu'il ne raccroche le combiné.

« Ah bon !... très bien... »

Il croisait les bras et m'observait avec un sourire condescendant.

« Il n'y a plus de téléphone au château de Chêne-Moreau. »

Il se rendait compte de ma déception. Il a ajouté :

« Il suffirait peut-être de connaître le nom du propriétaire. »

Mais il ne semblait pas très convaincu par une telle démarche.

« Et vous savez quelque chose sur ce Brainos qui est venu vous voir ? lui ai-je demandé.

— Mais oui... j'ai oublié de vous en parler... Je dois vous avouer que cette affaire ne me passionne pas outre mesure... »

Il feuilletait, de l'index, l'éphéméride sur son bureau.

« Il a dû venir la semaine dernière, ce Brainos, non ? »

Quand il a retrouvé le jour, il s'est penché pour lire ce qu'il avait noté :

« Brainos Georges, 194, avenue Victor-Hugo. Il est domicilié à Paris, mais il aurait dirigé des salles de cinéma à Bruxelles. »

Il a poussé un soupir, comme s'il venait de se livrer à un très gros effort.

« Un homme assez douteux. La cinquantaine. Il paraissait très perturbé par la disparition de cette Noëlle Lefebvre. »

Il ouvrait la chemise bleu ciel où étaient rassemblées la fiche, la carte avec la photo de Noëlle Lefebvre et les notes que j'avais prises à la suite de mon enquête sur le terrain, comme il disait. Et la lettre de la poste restante, signée Georges. Georges Brainos.

« Merci pour vos renseignements supplémentaires. Ce Brainos ne m'avait pas précisé qu'elle était mariée, ni qu'elle travaillait chez Lancel. »

Il me souriait d'un sourire un peu gêné, il semblait chercher ses mots pour ne pas me blesser.

« Voyez-vous, mon petit, je ne crois pas que cette affaire soit intéressante. Ce sera beaucoup de travail pour rien. Cet homme ne m'a pas l'air très fiable comme client. Vous êtes déçu? Vous méritez mieux. Je vous confierai d'ici peu un dossier plus consistant. »

Mais non, je ne me plaçais pas du tout sur un plan professionnel. La disparition de Noëlle Lefebvre réveillait des échos beaucoup plus profonds chez moi, si profonds que j'aurais eu de la peine à les éclaircir.

« Vous vous trompez, lui ai-je dit. Je ne suis pas déçu. »

J'étais même soulagé à la pensée qu'il se désintéressait de cette affaire. Elle ne concernait plus que moi, désormais. Je n'avais plus de comptes à lui rendre. Il me laissait le champ libre.

Oui, voilà ce que je pensais alors. Mais aujourd'hui, au moment où j'écris et me revois devant Hutte, lui s'appuyant, les bras croisés, sur le bord du bureau, et ses yeux d'un bleu outremer fixés sur moi avec une attention paternelle, j'éprouve le besoin de rectifier les lignes précédentes. C'est lui qui m'a entraîné délibérément dans ma recherche. Sans m'en dire un mot, il savait tout, dès le départ, mais il n'a voulu me présenter qu'un dossier incomplet. Il avait peut-être deviné à quel point j'étais impliqué dans cette « affaire », et il aurait pu en quelques mots m'en révéler les moindres détails et m'éclairer sur moi-même. « Je vous confierai d'ici peu un dossier plus consistant. » J'étais trop jeune à l'époque pour comprendre le sens de cette phrase.

C'était une manière discrète et affectueuse de se retirer et de me laisser faire le chemin tout seul. Il me voulait du bien. Il m'avait donné quelques indices. À moi de poursuivre le travail. J'arrivais à l'âge où il faut prendre ses responsabilités. S'il me laissait le champ libre, c'est qu'il avait deviné que j'écrirais tout cela plus tard.

Il y a des blancs dans une vie, mais parfois ce qu'on appelle un refrain. Pendant des périodes plus ou moins longues, vous ne l'entendez pas et l'on croirait que vous avez oublié ce refrain. Et puis, un jour, il revient à l'improviste quand vous êtes seul et que rien autour de vous ne peut vous distraire. Il revient, comme les paroles d'une chanson enfantine qui exerce encore son magnétisme.

Je compte les années et je tente d'être le plus exact possible : à force de recoupements, je dirais que dix ans avaient passé depuis mon bref apprentissage dans l'agence de Hutte et les quelques après-midi où je m'étais rendu à la poste restante sur les traces de cette Noëlle Lefebvre. Et cela, sans résultat. Sauf le mince dossier à la chemise bleu ciel que j'avais conservé et qui n'a même pas l'épaisseur des dossiers de police et de gendarmerie classés sans suite.

Je me trouvais dans la petite boutique d'un coiffeur de la rue des Mathurins. J'attendais mon tour devant une table basse où étaient disposés plusieurs piles de magazines et un annuaire de cinéma. Sur la reliure marron de celui-ci était inscrite l'année de sa parution : 1970.

Je l'ai feuilleté et suis tombé sur la partie « photographies d'artistes ». Un nom m'a sauté aux yeux : Gérard Mourade. Pourtant, je dois avouer que ce nom ne m'était pas venu à l'esprit depuis dix ans. Si « Noëlle Lefebvre » était demeuré bien net dans mon souvenir, j'aurais eu du mal à dire, de but en blanc, le nom exact de l'homme que j'avais rencontré dix ans auparavant, au mois d'avril, dans un café.

Sur la photo, il était vêtu de la veste en mouton retourné qu'il portait quand il m'avait adressé la parole. Une casquette en cuir rejetée en arrière pour dégager le front et un foulard, très serré autour du cou... Assis sur le bras d'un fauteuil, il souriait. Au bas de la photo, un numéro de téléphone était écrit au crayon rouge.

Le coiffeur m'avait vu consulter cet annuaire et, quand je me suis assis sur le siège pivotant devant la glace et qu'il m'a enveloppé d'une blouse blanche, il m'a dit :

« Le cinéma vous intéresse, monsieur ?

— J'ai trouvé dans cet annuaire la photo d'un ami. »

J'étais étonné de lui avoir fait cette confidence. J'avais presque oublié Mourade, et voilà qu'il réapparaissait brusquement.

« Je l'ai peut-être rencontré. J'ai longtemps été maquilleur pour le cinéma. »

Était-ce lui qui avait écrit le numéro de téléphone au crayon rouge ? Il a pris l'annuaire sur la table basse et je lui ai désigné la photo de Mourade, qu'il a considérée longuement.

Il ne paraissait pas le connaître.

« C'est pourtant mon écriture, là, au crayon rouge... Il est venu ici se faire couper les cheveux... »

Il tendait le bras vers le côté opposé de la rue, derrière la vitre.

« Il a dû tenir un petit rôle dans l'un des deux théâtres en face. Mais quand ? Ils vont, ils viennent... Il y en a tellement... On finit par les oublier... Vous aussi, vous êtes comédien, monsieur ?

— Pas tout à fait.

— Si vous saviez combien j'en ai maquillés, moi, des comédiens... »

Une expression de tristesse lui voilait le regard. Il tenait l'annuaire du cinéma à la main.

« Je vous le donne. Vous y retrouverez peut-être d'autres amis. »

Dans la rue, j'ai eu envie de me débarrasser de cet annuaire qui pesait bien lourd. Mais non, je le rangerais dans un tiroir. La photographie de Gérard Mourade serait un indice de plus, après la fiche établie par Hutte dix ans auparavant, les maigres renseignements supplémentaires que j'avais recensés sur deux pages, et la lettre à Noëlle Lefebvre récupérée par moi, poste restante. Un indice de plus ? J'ai pensé à certains procès en cour d'assises où sont réunies ce qu'on appelle « les pièces à conviction », et, en particulier, à un procès d'après-guerre : derrière l'inculpé, une trentaine de valises – les seules traces qui subsistaient de personnes disparues.

Avant de le ranger dans le tiroir, j'ai ouvert l'annuaire et regardé encore une fois la photo de Gérard Mourade. Sa casquette de cuir noir rejetée en arrière, son sourire et sa pose désinvolte ne correspondaient pas au jeune homme avec lequel j'avais passé un après-midi dans le 15e arrondissement. Ce jour-là, il m'avait paru beaucoup plus sombre. Les disparitions successives de Noëlle Lefebvre et de Roger Behaviour dataient de quelques semaines, ce qui expliquait sa nervosité et son inquiétude. Mais là, sur la photo, cinq ans plus tard, il avait sans doute pris son parti de leur absence. Ou bien il avait eu de leurs nouvelles et, tout simplement, il les avait retrouvés.

Au bas de la photo, il n'était pas indiqué son adresse, mais celle d'un imprésario.

Je me suis résolu à lui téléphoner. Une femme m'a répondu, sans doute une secrétaire.

« J'aimerais joindre l'un de vos artistes, ai-je demandé.

— Son nom, monsieur ?

— Gérard Mourade.

— Vous l'écrivez comment? »

J'ai épelé le nom.

Un silence. Puis, un froissement de papier. Elle devait consulter un fichier.

« Mourade, Gérard... Nos bureaux ne s'occupent plus de lui depuis 1971, monsieur.

— Vous aviez son adresse?

— Nous avions deux adresses, l'une à Paris, 57, quai de Grenelle, l'autre à Maisons-Alfort, 26, rue Carnot. Nous lui avions trouvé un petit rôle dans une pièce en 1969, *La Fin du monde*, au théâtre Michel. C'est tout ce que je peux vous dire, monsieur. »

À quoi bon me rendre quai de Grenelle, dans ce même quartier où j'avais marché sur les traces de Noëlle Lefebvre? Je n'en avais pas le courage. Ni le temps. Et puis, j'aurais eu l'impression de revenir en arrière, à une période où ma vie était encore bien incertaine... Mais elle ne l'était plus, et je ne voyais vraiment pas quel rôle y jouerait désormais un Gérard Mourade.

Vers le soir, j'ai changé d'avis. Je ne voulais pas avoir de regrets, ou plutôt de remords. J'ai pris le métro sur la ligne que je n'avais pas empruntée depuis dix ans. À Javel, j'ai remonté le quai jusqu'au pont de Grenelle. Mais, arrivé à la hauteur de celui-ci, je me suis demandé si cela valait la peine de poursuivre mon chemin. On avait abattu les immeubles du quai et, à leur place, il ne restait plus que des terrains vagues et des tas de gravats. Il semblait qu'un bombardement avait eu lieu sur cette zone qu'on appellerait plus tard le Front de Seine. Et il n'avait pas épargné, au niveau du pont, le premier bâtiment du quai dont il ne subsistait plus que la façade en béton. J'aurais pu croire qu'il s'agissait d'un ancien garage si je n'avais pas lu au-dessus de l'entrée béante cette enseigne, en lettres rouges : « Dancing de la Marine ».

Un autre après-midi à Paris, en juillet, par une chaleur de canicule. J'avais espéré trouver un air plus frais du côté du bois de Boulogne et je m'apprêtais à retourner vers le centre dans l'autobus 63. Mais j'ai changé d'avis et marché jusqu'au débouché de l'avenue Victor-Hugo.

Un nom m'était revenu en mémoire, celui de Georges Brainos, que Hutte avait jadis reçu dans son bureau et qui lui avait signalé la disparition de Noëlle Lefebvre, ce Brainos dont j'avais récupéré une lettre à la poste restante. Je me souvenais de son adresse, 194, avenue Victor-Hugo, pour avoir relu à de nombreuses reprises les quelques notes incomplètes du dossier.

Je viens d'écrire le mot « jadis », au paragraphe précédent. Il s'applique aussi à cet après-midi de juillet qui me semble si lointain que je ne peux pas préciser en quelle année c'était : avant ou après ma visite chez le coiffeur où j'avais découvert une photo de Mourade, ou bien la même année que celle de ma rencontre avec Jacques B. dit « le Marquis » ?

Je suivais l'avenue sur le trottoir de gauche, celui des numéros pairs, et j'arrivais bientôt devant le 194, un petit hôtel particulier à la façade de brique et de pierre dont, à chaque fenêtre, les volets métalliques étaient fermés. Une plaque de cuivre fixée à la porte d'entrée semblait assez récente bien que le bâtiment donnât une impression d'abandon. Sur cette plaque, j'ai lu en caractères noirs : « La Caravelle, société immobilière. P. Mollichi ». Et ce nom, comme « 194, avenue Victor-Hugo », figurait lui aussi dans mes anciennes notes.

J'ai hésité quelques minutes, puis j'ai appuyé sur le bouton de la sonnette avec la certitude que personne ne répondrait. La chaleur, le quartier désert du mois de juillet, la façade aux volets fermés... Mais j'ai été surpris par le timbre strident de la sonnette qui tranchait sur cet après-midi de torpeur. Elle vous aurait réveillé du sommeil le plus profond.

La porte s'est ouverte aussitôt, comme si quelqu'un se tenait déjà derrière elle et attendait une visite. Un homme de petite taille, le front dégarni, les traits secs comme taillés dans du bois clair, les yeux légèrement bridés, me dévisageait. Il portait un costume sombre très ajusté.

« J'aimerais parler à M. Mollichi. »

J'avais tenté d'affermir ma voix.

« Lui-même. »

Il me lançait un sourire aussi sec que son visage et ne

montrait aucune surprise de ma visite. Il m'a laissé le passage et a refermé la porte derrière lui.

Il m'a fait entrer dans une pièce du rez-de-chaussée et m'a désigné un siège devant une table à tréteaux qui devait lui servir de bureau, si j'en jugeais par les nombreux dossiers empilés sur celle-ci.

« Que puis-je faire pour vous ? »

Il avait mis une certaine amabilité, je dirais même une certaine jovialité, à formuler cette question. Et cela contrastait avec les traits impassibles de son visage.

« Je voudrais simplement vous demander quelques renseignements. »

La chaleur était encore plus forte dans cette pièce que dehors, et je m'épongeais le front de la manche de ma chemise. Mais lui, il ne semblait pas souffrir de cette chaleur, malgré son col très haut et très serré, sa cravate et sa veste cintrée. Comme les volets étaient fermés, la lumière vive qui tombait du lustre m'éblouissait.

« C'est au sujet d'une amie dont je n'ai plus de nouvelles depuis longtemps et qui a connu M. Georges Brainos. »

Assis derrière son bureau, le buste raide, il me considérait, me semble-t-il, avec bienveillance. Peut-être ma visite le distrayait-elle de la monotonie de sa journée de travail. Il a remarqué que je transpirais.

« Je suis désolé... Je n'ai pas de boisson rafraîchissante à vous proposer... »

Il a pris un temps avant d'ajouter :

« J'étais effectivement le secrétaire, puis le collaborateur de M. Brainos. Et maintenant, je gère sa société. M. Brainos est mort l'année dernière à Lausanne. »

Il y a eu un instant de silence entre nous. Une pensée m'a traversé l'esprit : Encore un témoin qui emporte ses secrets avec lui.

« Et vous vous souveniez que M. Brainos avait habité ici, je suppose ?

— Oui.

— Malheureusement, nous devons détruire cette maison dans quelques mois. Pour une opération immobilière. »

Il en paraissait désolé. Il tenait un crayon à la main dont il tapotait l'extrémité sur la table.

« Et quel était le nom de votre amie ?

— Noëlle... Noëlle Lefebvre... »

Il me fixait du regard, mais je sentais qu'il ne me voyait pas. Apparemment, il faisait un effort pour se rappeler quelque chose.

« J'ai dû la rencontrer... Cela remonte à une dizaine d'années... Noëlle... Mais oui... M. Brainos l'aimait beaucoup... »

Il me souriait. Il était soulagé de retrouver le souvenir de cette Noëlle.

« Elle était venue plusieurs fois me voir au dancing de la Marine... »

Il s'est penché vers moi et a esquissé un sourire.

« Le nom peut vous surprendre... Je vous explique en peu de mots... La société de M. Brainos contrôlait à l'origine des salles de cinéma à Bruxelles, et même un commerce de pièces détachées pour automobiles... »

Il avait pris un ton froid comme s'il faisait un exposé.

« Par la suite, M. Brainos a créé une société qui exploitait le dancing de la Marine, quai de Grenelle, et La Caravelle, un restaurant dans le quartier des Champs-Élysées... M. Brainos m'avait nommé gérant du dancing de la Marine, une affaire dont il s'est débarrassé très vite... »

Il tapotait, cette fois-ci, de son crayon la paume de sa main.

« Je vous en parle parce que cette jeune fille est venue plusieurs fois au dancing de la Marine pour m'apporter des lettres qu'elle adressait à M. Brainos... Et moi, il m'arrivait de lui remettre des lettres de M. Brainos. »

Il paraissait heureux d'avoir un interlocuteur avec qui il pouvait évoquer « M. Brainos », comme il disait. Ici, au mois de juillet, dans son bureau aux volets fermés, les après-midi devaient être longs.

« Elle venait quelquefois le soir avec des amis au dancing de la Marine... Mais je trouvais que ce n'était pas du tout un endroit pour elle... »

Il se taisait et je me demandais s'il n'avait pas oublié ma présence, mais il était visiblement à la recherche d'autres souvenirs.

« Elle a même habité ici quelque temps... dans l'une

des chambres du haut... Voilà tout ce que je peux vous dire sur elle, monsieur... »

Il avait l'air de s'excuser de n'en pas savoir plus sur Noëlle Lefebvre.

« M. Brainos vous aurait certainement donné d'autres renseignements...

— Il est mort à Lausanne ? »

Je ne sais pas pourquoi cette phrase m'avait échappé.

« Malheureusement, on meurt partout. Même à Lausanne... »

Il me fixait d'un regard triste.

« Vous n'auriez pas connu un ami de M. Brainos, un certain Sancho ? lui ai-je demandé.

— Non. Ce nom ne me dit rien. Vous savez, en tant que gérant et directeur commercial, je ne connaissais que les personnes qui étaient en affaires avec M. Brainos, ou plutôt ses proches associés... »

Il retrouvait un ton professionnel.

« À la société La Caravelle, il travaillait avec M. Anselme Escautier, Othon de Bogaerde, Mme Marion Le Phat Vinh, M. Serge Servoz... »

Ces deux derniers noms évoquaient pour moi quelque chose sans que je puisse le préciser sur le moment.

« Oui, je comprends bien », lui ai-je dit pour l'interrompre, car je craignais que cette énumération dure longtemps. « Alors, vous saviez que cette jeune fille avait habité ici quelque temps dans l'une des chambres du haut ?

— Oui. Quand elle est arrivée à Paris... Je crois que M. Brainos l'avait connue en province. Il l'avait surnommée gentiment "la bergère des Alpes". Mais je n'en sais pas plus. Elle vous était très proche ?

— Très proche.

— Et vous ignorez ce qu'elle est devenue ?

— Oui.

— Et c'est par elle que vous aviez entendu parler de M. Brainos ?

— Oui. J'espérais qu'il pourrait me donner de ses nouvelles.

— Je comprends. »

Il y a eu un long moment de silence entre nous.

« Je suis en train de mettre de l'ordre dans les affaires assez compliquées de M. Brainos. Et dans ses papiers. Si je trouve quelque chose concernant cette Noëlle... Noëlle comment, monsieur ?

— Lefebvre. »

Il a noté le nom sur une feuille de papier.

« Je serais ravi de vous en faire part. Donnez-moi vos coordonnées. »

Je lui ai donné mon nom et mon numéro de téléphone. Lui-même m'a tendu une carte de visite.

« Passez quand vous voulez. Je suis dans mon bureau toute la journée. Même au mois de juillet. »

Au moment de quitter la pièce, j'ai regardé le lustre allumé, au-dessus de nous, un lustre dont la taille m'impressionnait. Il a surpris mon regard.

« Ici, c'était le salon. Du temps de M. Brainos. »

Dehors, l'air était moins étouffant que tout à l'heure. Je ne pouvais m'empêcher de penser à cet homme, dans son bureau aux volets fermés, sous la lumière éblouissante du lustre, le buste raide, la cravate serrée, sans la moindre goutte de sueur au front. Je me demandais si je n'avais pas rêvé et si je ne devais pas faire demi-tour pour vérifier que la façade du 194 était encore là, que l'hôtel particulier n'avait pas déjà été détruit « pour une opération immobilière », comme Pierre Mollichi me l'avait annoncé.

J'avais oublié de lui poser une question concernant le château de Chêne-Moreau à Pruniers-en-Sologne, dont le nom figurait dans la lettre de Georges Brainos et l'agenda de Noëlle Lefebvre. Mais à quoi bon ? J'étais sûr que sa réponse n'aurait pas été précise, comme d'ailleurs les quelques détails qu'il m'avait donnés au sujet de Noëlle Lefebvre.

Je ne comptais que sur moi-même et cela, loin de me décourager, me causait une certaine euphorie. Je marchais le long de l'avenue vers l'Étoile et je me sentais, ce soir-là, dans ce qu'on appelle curieusement « un état second ». Jamais Paris ne m'avait semblé aussi doux et aussi amical, jamais je n'étais allé si loin dans le cœur de l'été, cette saison qu'un philosophe dont j'ai oublié le nom qualifiait de saison métaphysique. Ainsi, Noëlle, la bergère des Alpes, avait habité quelque temps dans l'une des chambres du haut, à une centaine de mètres derrière moi... L'avenue était déserte, et pourtant je devinais à mes côtés une présence, l'air était plus vif que celui que je respirais d'habitude, le soir et l'été plus phosphorescents. Et cela, je l'éprouvais chaque fois que je m'aventurais sur des chemins de traverse afin de pouvoir ensuite écrire noir sur blanc mon itinéraire, chaque fois que je vivais une autre vie – en marge de ma vie.

Aujourd'hui, j'entame la soixante-troisième page de ce livre en me disant que l'Internet ne m'est d'aucun secours. Sur celui-ci, pas de trace de Gérard Mourade ni de Roger Behaviour. Selon le navigateur, on compterait quelques Noëlle Lefebvre en France, mais aucune ne correspond à celle qui recevait des lettres à la poste restante.

Tant mieux, car il n'y aurait plus matière à écrire un livre. Il suffirait de recopier des phrases qui apparaissent sur un écran, sans le moindre effort d'imagination.

Et comme pour la photo numérique, on ne verrait plus se développer peu à peu l'image dans la chambre noire, cette image et cette chambre noire qu'évoquait un écrivain du XIXe siècle dans une lettre que j'aurais pu trouver à la poste restante, oubliée là depuis plus de cent ans et qui m'aurait donné le courage de poursuivre ma recherche : « Je continue à ne parler à personne. C'est d'ailleurs dans cette espèce de chambre noire de la solitude qu'il faut que je voie vivre mes livres avant de les écrire. »

Peut-être serait-il plus simple de respecter l'ordre chronologique, et s'aider pour cela d'un très grand nombre de points de repère. Mes agendas sont encore plus vides que celui de Noëlle Lefebvre que j'avais découvert dans le double fond de la table de nuit. D'ailleurs, pour parler franc, je n'ai jamais eu d'agendas et je n'ai jamais écrit de journal. Cela m'aurait facilité les choses. Mais je ne voulais pas comptabiliser ma vie, je la laissais s'écouler comme l'argent fou qui file entre les doigts. Je ne me méfiais pas. Quand je pensais à l'avenir, je me disais que rien ne serait perdu de tout ce que j'avais vécu. Rien. J'étais trop jeune pour savoir qu'à partir d'un certain moment vous butez sur des trous de la mémoire.

Après m'être souvenu de mon passage chez ce coiffeur de la rue des Mathurins et de la photo de Mourade dans l'annuaire du cinéma, je m'aperçois que j'ai bien eu ce qu'on appelle un trou de mémoire. J'ai écrit plus haut que dix ans s'étaient écoulés depuis l'après-midi de printemps où Hutte m'avait envoyé « sur le terrain » à la recherche de Noëlle Lefebvre. Et ainsi je donnais l'impression que, pendant ces dix ans, je n'avais plus pensé à ce très court épisode de ma vie et que toutes les rencontres que j'avais faites et les divers événements que j'avais vécus depuis dix ans avaient recouvert d'une couche d'oubli cet après-midi-là dans le 15e arrondissement. Mais non. Désormais, il faut, dans la mesure du possible, que je m'efforce de respecter l'ordre chronologique, sinon je me perdrai dans ces zones où s'enchevêtrent la mémoire et l'oubli.

Je crois que cela faisait à peine deux ans que j'avais quitté l'agence de Hutte. Soudain, un après-midi, sur le trottoir, j'ai éprouvé un choc, comme si le temps me ramenait brusquement en arrière, ou plutôt comme si ces deux ans étaient abolis. Et, de nouveau, j'avais la sensation de poursuivre ma recherche.

Je traversais le terre-plein de la place de l'Opéra et m'apprêtais à descendre les escaliers de la bouche de métro, quand j'ai vu, de loin, l'enseigne et la vitrine de la maroquinerie Lancel. Le trottoir s'est ébranlé une fraction de seconde au point de me faire trébucher et de me réveiller d'un long sommeil.

Je suis entré sans hésiter chez Lancel et me suis dirigé vers l'une des vendeuses, au fond du magasin :

« Excusez-moi. Je voudrais avoir des nouvelles de Noëlle Lefebvre. »

Je l'avais dit d'une voix ferme et en détachant les syllabes, mais elle n'avait pas l'air de m'avoir compris.

« Des nouvelles de qui, monsieur ? »

Elle me considérait avec une certaine méfiance et j'ai craint qu'elle n'alerte ses collègues. Je n'avais certainement pas l'allure d'un client habituel.

« Noëlle Lefebvre. Elle travaillait ici il y a deux ans.

— Je ne suis là que depuis six mois... Il faudrait que vous demandiez à ma collègue... »

Elle désignait une femme brune d'environ trente ans, assise derrière un bureau, du côté de l'entrée du magasin.

Elle ne s'apercevait pas de ma présence. Elle était absorbée dans un travail qui me semblait de comptabilité. J'étais prêt à quitter ce magasin le plus discrètement possible quand elle a levé les yeux vers moi.

« Madame... Pourriez-vous me donner des nouvelles de Noëlle Lefebvre...? Elle travaillait ici il y a deux ans... »

Elle ne me quittait pas du regard comme si elle cherchait à savoir à qui elle avait affaire. Mes vêtements étaient sobres et mes cheveux de coupe classique. J'avais posé la question d'une voix très calme. Je n'avais rien à me reprocher.

« Vous étiez un ami de Noëlle Lefebvre? »

J'ai senti que mon cas l'intéressait. La seule chose qui me troublait, c'était qu'elle avait employé le passé.

« Oui. Un ami très proche.

— Nous fermons dans une heure... Ici, ce sera difficile de parler... Nous pouvons nous retrouver en face, boulevard des Capucines, au café Khédive, si vous voulez... Dans une heure... »

Elle s'est levée, m'a accompagné jusqu'à la sortie du magasin et m'a montré le café.

J'ai pris place à une table de la terrasse. Deux ans auparavant, quand j'essayais d'en savoir plus long, j'avais dit à Gérard Mourade que c'était dans ce café que je retrouvais Noëlle Lefebvre, après son travail. Et, à mesure que le temps passait, je me demandais si ce que j'avais déclaré à Mourade était bien un mensonge. Je regrettais de n'avoir pas sur moi la carte de la poste restante pour observer la photo d'un œil plus attentif. Peut-être l'avais-je rencontrée, cette Noëlle Lefebvre ? Il y a des blancs dans une vie, et des éclipses de la mémoire. Et si j'avais pris au sérieux cette recherche que m'avait confiée Hutte – une « affaire » assez banale, car il existe des centaines de personnes qui, chaque jour, disparaissent ou changent de domicile, ou tout simplement rompent avec leur vie quotidienne sur un coup de tête –, c'était sans doute que ce visage me rappelait quelque chose, quelqu'un que j'aurais croisé sous un autre nom.

Je l'ai vue traverser le boulevard et je lui ai fait un signe du bras. Elle se tenait debout, devant ma table.

« Cela ne vous dérange pas si nous marchons jusqu'à la Madeleine ? C'est là que je prends le métro... Je dois être de retour chez moi plus tôt que d'habitude... »

Nous sommes passés devant la vitrine de Lancel et nous avons traversé la place. Elle restait silencieuse. Nous n'avions pas beaucoup de temps pour parler jusqu'à la Madeleine. C'était à moi d'engager la conversation.

« Vous étiez une amie de Noëlle Lefebvre ?

— Oui. Dès qu'elle est entrée chez Lancel. Nous sortions souvent ensemble. »

Elle paraissait soulagée que j'aie fait le premier pas, comme s'il s'agissait d'un sujet délicat.

« Et vous n'avez plus aucune nouvelle d'elle ?

— Non. Pas depuis deux ans.

— Moi non plus. »

C'était l'heure d'affluence sur le trottoir du boulevard des Capucines. Des gens sortaient de leurs bureaux pour prendre le métro ou le train à la gare Saint-Lazare. J'avais l'impression qu'ils marchaient tous dans le sens inverse du nôtre et je craignais que nous nous perdions dans cette foule, d'autant qu'elle allait vite et que j'avais de la peine à la suivre. Il aurait été plus simple et plus prudent que je lui prenne le bras, mais ce geste risquait de lui paraître déplacé.

« Et vous n'avez aucune idée de l'endroit où elle pourrait être ?

— Aucune. Son mari est venu chez Lancel. Je lui ai parlé. Lui non plus ne comprenait pas. »

Je sentais qu'elle avait de la peine à évoquer ce souvenir. Et, après toutes ces années, je me demande si elle ne préférait pas que nous nous trouvions dans cette foule plutôt qu'en tête à tête dans un café pour évoquer Noëlle Lefebvre.

« Vous avez bien connu son mari ?

— Pas vraiment. J'ai dû le voir deux ou trois fois. Nous sortions toujours toutes les deux, Noëlle et moi.

— Et vous avez connu Gérard Mourade ?

— Le grand brun bouclé qui prenait des cours de théâtre ? »

Elle avait levé la tête vers moi. Elle avait un sourire ironique.

« Noëlle m'avait emmenée une fois dans son cours d'art dramatique... tout près de chez Lancel... »

Elle marchait si vite que je n'avais pas seulement du mal à la suivre, mais à entendre ses paroles. Et puis, sa voix était très sourde.

« Et vous, vous avez connu son mari ? m'a-t-elle demandé.

— Non.

— Elle me disait qu'il était un peu dépressif. Elle lui cherchait toujours du travail. D'ailleurs, je me demande si c'était vraiment son mari... »

Une note de l'agenda de Noëlle Lefebvre m'est revenue en mémoire, parmi toutes celles que je savais par cœur à force de vouloir les déchiffrer, comme s'il s'agissait d'un code secret : « Demander à Marion Le Phat Vinh si elle peut trouver du travail à Roger dans sa société de transport. »

« Vous pensez que ce n'était pas son mari ?

— Je crois que Noëlle avait une vie sentimentale

compliquée et que cela lui causait parfois du souci...
Mais elle ne m'a jamais fait de confidences...

— Alors, vous sortiez ensemble, toutes les deux? »

Si je ne lui posais pas de questions, j'avais le sentiment qu'elle aurait gardé le silence. La disparition
de Noëlle Lefebvre était certainement un sujet dou-
loureux pour elle. En deux ans, elle avait dû y penser
comme moi par intervalles de plus en plus espacés, car
il faut bien que la vie courante reprenne le dessus.

« Oui, nous sortions ensemble. Elle m'emmenait
parfois dans de drôles d'endroits. Par exemple, un
dancing sur le quai de Grenelle.

— La Marine?

— Oui. La Marine. Elle vous y a emmené, vous
aussi? »

Elle s'est arrêtée de marcher comme si elle attendait
une réponse et que celle-ci avait de l'importance pour
elle.

« Non. Jamais.

— C'est drôle, m'a-t-elle dit. J'ai l'impression de
vous avoir vu un jour avec elle dans le café de tout à
l'heure... en face de chez Lancel...

— Non. Vous vous trompez...

— Alors, c'était quelqu'un qui vous ressemblait... »

Nous nous tenions à l'écart de la foule, au début de
l'impasse qui mène au théâtre Édouard VII. Elle était
déserte, et cela contrastait avec le flot de passants sur

le boulevard, que nous devions remonter à contre-courant.

« Et il y avait un autre endroit que la Marine, où Noëlle m'emmenait souvent... aux Champs-Élysées... au début d'une impasse... comme celle où nous sommes maintenant... »

Elle regardait son bracelet-montre.

« Je suis en retard... excusez-moi... »

Elle avait repris sa marche, et j'avais toujours autant de peine à la suivre dans cette foule. Elle gardait le silence et paraissait préoccupée. C'était comme si elle avait oublié ma présence et tout ce qui concernait Noëlle Lefebvre.

« En somme, lui ai-je dit, vous ne l'avez connue que pendant quelques mois?

— Trois mois environ. Mais nous étions vraiment amies. »

Elle avait brusquement une voix très grave. Et j'ai été étonné qu'elle me prenne le bras.

« Et vous? Vous la connaissiez depuis longtemps?

— Oui. Très longtemps. Nous étions nés dans la même région. Aux environs d'Annecy. »

Cette phrase, je l'avais dite à Mourade deux ans plus tôt. Et ce soir-là, la répétant, il me semblait que ce n'était plus tout à fait un mensonge.

« Je savais qu'elle était née dans un village, à la montagne, mais elle ne m'a jamais parlé de vous...

— Nous ne nous voyions plus très souvent les

dernières années... Je crois qu'elle s'était fait de nouveaux amis... »

Je voulais lui citer un nom, mais ce nom m'échappait. Et puis, par chance, je l'ai retrouvé.

« Est-ce que vous connaissiez un ami à elle qui s'appelait Georges Brainos ? Un homme d'une cinquantaine d'années... »

Elle paraissait réfléchir, et elle me tenait toujours le bras.

« D'une cinquantaine d'années ? Alors, ça devait être le propriétaire du dancing de la Marine et de l'endroit dont je vous parlais tout à l'heure du côté des Champs-Élysées... ou peut-être un autre... »

Ce Brainos ne semblait pas beaucoup l'intéresser. De nouveau, elle gardait le silence, et moi je ne trouvais plus de questions à lui poser. Nous arrivions à la Madeleine. Nous étions devant la bouche du métro.

« Elle avait une autre amie que moi... Miki Durac... Je ne sais pas où elle l'avait connue. Cette amie lui a présenté beaucoup de gens... Mais moi je préférais être seule avec Noëlle... Vous avez rencontré Miki Durac ? »

Elle me fixait d'un regard soupçonneux. Elle ne semblait pas apprécier beaucoup cette Miki Durac.

« Non, je ne l'ai jamais rencontrée.

— Nous n'avons pas eu beaucoup de temps pour parler de Noëlle, m'a-t-elle dit. Nous pourrions nous revoir, si vous voulez... »

Elle ouvrait son sac à main et me tendait une carte

de visite. Il était difficile de rester là tous les deux, à l'entrée de cette bouche de métro, sans se faire bousculer. L'heure de pointe.

Elle me serrait la main. J'ai senti qu'elle voulait me dire quelque chose.

« Écoutez... j'essaye de trouver une explication... je crois qu'elle est morte... »

Et puis elle m'a quitté brusquement, comme si elle était prise par le flot de tous ceux qui descendaient les escaliers.

Un peu plus tard, j'ai craint d'avoir perdu la carte de visite. Mais elle était au fond de l'une des poches de mon pantalon. Françoise Steur. Une adresse et un numéro de téléphone à Levallois-Perret. « Je crois qu'elle est morte. » Elle l'avait déclaré de sa voix sourde, et j'avais eu du mal à l'entendre.

J'avais beau y réfléchir, je ne m'habituais pas à cette idée. Quand j'y repense aujourd'hui, je me dis que cette phrase décisive, « Je crois qu'elle est morte », ne correspondait pas au flou et à l'incertitude qui entouraient pour moi Noëlle Lefebvre. S'il s'était seulement agi de rassembler tous les morceaux d'un puzzle et d'obtenir ainsi une image précise et définitive, peut-être cette phrase ne m'aurait-elle pas choqué comme elle l'avait fait quand je me tenais ce soir-là avec Françoise Steur devant la bouche de métro. Mais vous avez beau scruter à la loupe les détails de ce qu'a été une vie, il y demeurera des secrets et des lignes de fuite pour toujours. Et cela me semblait le contraire de la mort.

Et puis, un autre aspect de la question m'apparaît aujourd'hui avec plus de netteté que du temps de ma jeunesse : peut-on se fier aux témoins ? Que m'avaient appris Gérard Mourade ou Françoise Steur concernant Noëlle Lefebvre qui m'aurait vraiment éclairé sur elle ? Pas grand-chose. Quelques détails décousus et contradictoires qui brouillaient tout, comme ces bruits parasites à la radio qui vous empêchent d'écouter une musique. Et ces témoins sont si improbables que vous les rencontrez une fois, vous leur posez certaines questions auxquelles ils ne vous donnent aucune réponse et vous n'éprouvez même pas le besoin de rester en contact avec eux.

Ce n'est pas le cas pour Françoise Steur que j'ai revue plus tard, et j'en parlerai si j'en ai le courage. Mais Gérard Mourade ? Quand j'étais sorti de la boutique du coiffeur, rue des Mathurins, avec cet annuaire du cinéma à la main, je m'étais dit que, pendant les dix dernières années, je n'avais pas pensé une seule fois à lui. Pourtant, si j'avais été plus curieux, j'aurais su qu'il jouait un petit rôle dans *La Fin du monde* au théâtre Michel et je lui aurais rendu visite dans sa loge. Mais j'aurais risqué d'être déçu : il avait peut-être fini par oublier Noëlle Lefebvre et notre première rencontre. En ce qui concernait Miki Durac, j'avais renoncé deux ans auparavant à la retrouver dans les innombrables immeubles du boulevard Brune.

J'aimerais respecter l'ordre chronologique et noter les moments au cours de ces nombreuses années où Noëlle Lefebvre m'a de nouveau occupé l'esprit, en précisant chaque fois la date et l'heure. Mais impossible sur un si long espace de temps d'établir un tel calendrier. Je crois qu'il est préférable de laisser courir ma plume. Oui, les souvenirs viennent au fil de la plume. Il ne faut pas les forcer, mais écrire en évitant le plus possible les ratures. Et dans le flot ininterrompu des mots et des phrases, quelques détails oubliés ou que vous avez enfouis, on ne sait pourquoi, au fond de votre mémoire remonteront peu à peu à la surface. Surtout ne pas s'interrompre, mais garder l'image d'un skieur qui glisse pour l'éternité sur une piste assez raide, comme le stylo sur la page blanche. Elles viendront après, les ratures.

Un skieur qui glisse pour l'éternité. Aujourd'hui, ces mots évoquent pour moi la Haute-Savoie où j'ai passé quelques années de mon adolescence. Annecy, Veyrier-du-Lac, Megève, le mont d'Arbois...

Un après-midi de juillet, la même année que celle où j'avais découvert la photo de Mourade dans l'annuaire du cinéma, j'avais croisé au carrefour Richelieu-Drouot un ami d'Annecy justement, un certain Jacques B., que l'on surnommait « le Marquis ». Et alors, je me suis souvenu que Noëlle Lefebvre était née dans « un village aux environs d'Annecy ». Je n'avais pas attaché trop d'importance à ce détail figurant sur la fiche de Hutte. Elle était si incomplète, cette fiche, et semée de tant d'inexactitudes, que je me demandais si ce n'était pas Hutte lui-même qui avait choisi ce « village aux environs d'Annecy » pour en faire le lieu de naissance de Noëlle Lefebvre et se débarrasser au plus vite d'une « affaire » qui ne l'intéressait pas.

Je n'avais pas revu Jacques B. depuis dix ans, comme toutes celles et ceux que j'avais connus en Haute-Savoie.

Il m'a dit qu'il travaillait dans un journal un peu plus bas, et nous nous sommes retrouvés face à face à une table du café Cardinal.

La salle était déserte. À cause de la présence du Marquis, il m'a semblé que nous étions de nouveau sous les arcades de la Taverne, à Annecy, au cœur d'un après-midi d'été.

Je laissais le Marquis m'exposer son « parcours », comme il disait, depuis les beaux jours d'Annecy. Un passage dans la Légion étrangère. Réformé au bout de quelques mois. De petits emplois à Lyon avant de prendre le train pour Paris. Et il avait fini par devenir journaliste, à la rubrique des faits divers. Depuis deux ans.

« Pourquoi la Légion étrangère? » lui ai-je demandé.

Il paraissait si désinvolte et si insouciant, jadis, sur la plage du Sporting et dans les rues d'Annecy que je n'aurais pas pu prévoir cet engagement.

« C'était comme ça, m'a-t-il dit en haussant les épaules. Je n'avais pas le choix... »

Et je m'en suis voulu de n'avoir pas senti chez lui à cette époque-là un certain mal de vivre.

« Est-ce que tu aurais connu à Annecy quelqu'un qui s'appelait Lefebvre?

— Avec ou sans *b*? »

Je retrouvais son sourire ironique, un sourire qui, dans mon souvenir, ne le quittait jamais.

« Avec *b*.

— Lefebvre... »

Et il prononçait ce nom en accentuant la lettre *b*.

« Mais oui... Sancho Lefebvre... »

Sancho Lefebvre. Ce nom évoquait aussi quelque chose pour moi. Mais je ne l'aurais jamais associé à Noëlle Lefebvre.

« Un type plus âgé que nous... Tu n'as pas pu le connaître... Je ne vois pas d'autre Lefebvre à Annecy... Mais qu'est-ce que tu lui veux, à Sancho Lefebvre? »

Il me considérait avec son éternel sourire, sans avoir l'air surpris, tout juste un peu étonné que ce Sancho Lefebvre apparaisse là, à côté de nous, comme un fantôme, ou peut-être comme un mort.

« Il a dû quitter Annecy il y a quinze ans... Mais il y revenait de temps en temps... Il vivait en Suisse ou à Rome... ou même à Paris... »

Et, tout à coup, je me suis souvenu d'un début d'après-midi d'été à Annecy. Je m'étais réfugié dans le hall d'un hôtel de la rue Sommeiller pour me protéger du soleil et de la chaleur. Trois ou quatre personnes étaient assises à côté de moi et le nom « Sancho Lefebvre » revenait souvent dans leur conversation, sans que je puisse saisir aucune de leurs paroles – sauf ce nom, ou plutôt ce prénom : Sancho. Le même prénom figurait dans la lettre à Noëlle Lefebvre que j'avais interceptée il y avait dix ans, poste restante.

« Un drôle de type... Chaque fois, on savait qu'il était de retour à Annecy à cause de sa voiture... une voiture de sport anglaise ou italienne... ou une américaine décapotable...

— Il aurait quel âge, maintenant?

— Trente-neuf, quarante ans.

— Il était marié?

— Non. »

Assis devant moi, Jacques B. semblait perdu dans ses pensées.

« La dernière année d'Annecy, avant de m'engager dans la Légion... je crois que nous nous sommes encore vus cette année-là, non...? en 1962 ou 1963... J'ai entendu dire que Sancho Lefebvre était parti d'Annecy avec une fille de vingt ans... et même qu'il s'était marié avec elle...

79

— Et cette fille, tu ne la connaissais pas ?

— Non.

— Elle ne s'appelait pas Noëlle ?

— Je n'ai jamais connu de Noëlle à Annecy. »

Nous avions fait le tour du sujet. J'avais eu quelques scrupules à lui poser toutes ces questions et je cherchais des mots en guise d'explication.

« Il s'agit d'un fait divers auquel un ami a été mêlé il y a dix ans... une disparition... et comme la fille était née dans les environs d'Annecy, j'ai pensé que tu étais au courant...

— Un fait divers ? Pourquoi pas ? Avec un type comme Sancho Lefebvre, tout était possible. »

Il avait employé le passé. Et, brusquement, j'ai éprouvé une grande lassitude à évoquer le passé et ses mystères. C'était un peu comme ceux qui avaient essayé, pendant des dizaines et des dizaines d'années, de déchiffrer une langue très ancienne. L'étrusque, par exemple.

Nous avons parlé de choses banales dans la langue d'aujourd'hui. Et puis, après avoir échangé nos adresses et nos numéros de téléphone, je l'ai accompagné rue de Richelieu, jusqu'à son journal. Au moment d'entrer dans le hall de celui-ci, il m'a souri et il m'a dit :

« Si tu veux, je vais essayer d'en savoir plus long sur Sancho Lefebvre. »

Je me souviens de mon état d'esprit de ce jour-là. Après avoir quitté Jacques B. dit « le Marquis », j'avais marché le long des Grands Boulevards. À la hauteur du cinéma Rex, je me suis dit que j'allais retrouver Françoise Steur là-bas, à quelques centaines de mètres. Mais travaillait-elle encore chez Lancel ? Si oui, elle me ferait attendre une ou deux heures sa sortie du magasin. À quoi bon ? Elle ignorait sans doute l'existence de Sancho Lefebvre.

J'étais perplexe. J'avais désormais la certitude que Noëlle Lefebvre ne s'était jamais appelée Noëlle Behaviour à l'état civil, mais qu'elle avait été mariée à cet homme sans visage dont Jacques B. m'avait dit que je n'avais pas pu le connaître à Annecy. Mme Sancho Lefebvre. Et son nom de jeune fille ? Elle n'avait pas seulement disparu depuis dix ans, elle était pour moi désormais une fille sans nom. Et même le prénom, Noëlle, était-il le bon ?

À plusieurs reprises, les jours suivants, j'ai éprouvé le besoin de téléphoner à Jacques B. pour lui proposer un nouveau rendez-vous. C'était le seul avec qui je pouvais parler de la période de ma vie en Haute-Savoie. Et le fait que l'énigmatique Sancho Lefebvre et Noëlle Lefebvre aient tous deux des liens avec cette région me troublait. Un nom très répandu en France et sans doute en Haute-Savoie.

Il fallait que je me débrouille tout seul, et même sans l'appui de Jacques B. Je tentais de répertorier toutes les personnes que j'avais connues en Haute-Savoie dans l'espoir que l'une d'entre elles me mette sur la piste de Sancho ou de Noëlle Lefebvre. Au début, je dois avouer que ce travail m'était pénible. Je me faisais l'effet d'un amnésique auquel on a fourni un itinéraire très détaillé qu'il devra suivre dans une zone qui lui était jadis familière. Il suffira du nom d'un village pour lui rappeler brusquement tout son passé.

C'était la première fois que je me livrais à ce genre d'exercice. Quand Hutte m'avait envoyé dans le 15e arrondissement à la recherche de Noëlle Lefebvre et que je savais, d'après la fiche dont il était l'auteur, qu'elle était née dans « un village aux environs d'Annecy », je n'avais pas établi de rapport direct avec mon propre séjour en Haute-Savoie. Mes souvenirs de ce séjour étaient encore neufs, puisque les derniers dataient d'à peine trois ans. Mais je n'avais pas l'habitude ni le goût de me tourner vers le passé.

Je m'étonnais que les noms me reviennent si nombreux à la mémoire. Je les écrivais sur un carnet, et les visages qui correspondaient à ces noms défilaient à la manière de diapositives. Des visages aux traits assez nets, d'autres flous au point de n'être plus qu'une sorte de halo ou de contour vague d'où se détachaient à peine la bouche et les sourcils. Si les visages n'étaient plus reconnaissables pour la plupart, les noms étaient restés intacts.

Loulou Alauzet, Georges Panisset, Yerta Royez, Mme Chevallier, docteur Besson, docteur Trevoux, Pimpin Lavorel, Zazie, Marie-France, Pierrette, Fanchon, Kurt Wick, Rosy, Chantal, Robert Constantin, Pierre Andrieux, et d'autres qui ne cessaient d'affluer... Mais j'avais beau me les répéter à voix basse, aucun de ces noms n'était lié pour moi à celui de Sancho Lefebvre que j'avais entendu prononcer un après-midi d'été dans le hall de l'hôtel de la rue Sommeiller par des gens que je ne connaissais pas. Il me semblait même que je faisais fausse route. À force de me rappeler tous ceux que j'avais connus en Haute-Savoie à cette période de ma vie, le dénommé Sancho Lefebvre et Noëlle du même nom se perdraient dans cette foule, et je n'aurais plus aucune chance de les retrouver. Oui, j'avais choisi une très mauvaise méthode. Cet afflux trop brutal de souvenirs risquait d'en cacher d'autres, plus secrets, et de brouiller définitivement les pistes.

Mais, en repensant à Jacques B. et à notre conversation, je suis revenu sur le chemin où j'avais quelque chance de rencontrer Sancho Lefebvre. Une phrase de Jacques B. à laquelle, sur le moment, je n'avais pas prêté une attention particulière, j'ai cru l'entendre, de nouveau, mais de manière plus nette que la première fois : « Un drôle de type... Chaque fois, on savait qu'il était de retour à Annecy à cause de sa voiture... » Et l'image d'une voiture américaine décapotable s'est peu à peu imposée à moi, comme si j'attendais le développement d'une photo dans une chambre noire. L'un de ces étés torrides du début des années soixante, je l'avais vue à plusieurs reprises garée avenue d'Albigny à des endroits différents, sur le trottoir de gauche devant la préfecture ou celui de droite à la hauteur du Sporting. Et aussi devant le café du casino. Mais quel été, exactement ? Un début d'après-midi, de la plage de Veyrier-du-Lac, je remontais le chemin pour acheter un journal dans la petite boutique au bord de la route, avant la poste et l'église. Sur la première page du journal était écrit en énormes caractères noirs un nom que je ne connaissais pas et qui m'avait frappé par sa sonorité : BIZERTE, une sonorité sourde et inquiétante, comme les deux syllabes que j'avais appris à lire du temps de mon enfance, dans la pénombre des garages : CASTROL. Il suffirait de chercher la date de ce qu'on a appelé « les événements de Bizerte » pour savoir l'année de cet été-là.

Ce devait être le premier été que je passais à Annecy après une année de pensionnat dans un village des environs. Je sortais du cinéma du casino. Il était à peu près minuit. Pour rejoindre ma chambre à Veyrier-du-Lac, je pouvais faire le chemin à pied, mais cela durerait longtemps. Ou de l'auto-stop. Ou prendre, vers six heures du matin, le premier car sur la place de la Gare. C'est alors que j'ai vu s'avancer dans ma direction un garçon que j'avais rencontré la semaine précédente sur la plage des Marquisats, un certain Daniel V., plus âgé que moi. Depuis le début des vacances, V. gagnait un peu d'argent en donnant des cours de tennis, mais il avait l'intention de quitter définitivement Annecy au mois d'octobre pour, me disait-il, « travailler dans l'hôtellerie à Genève ou à Paris ». Il avait déjà une petite expérience du métier après un emploi de six mois comme barman au Cintra de la rue Vaugelas.

« Qu'est-ce que tu fais là, tout seul ? »

Je lui ai dit que je devais rentrer à Veyrier-du-Lac, mais je ne savais pas comment. À pied, sans doute.

« Mais non, voyons... je vais te raccompagner... »

Et il me lançait un large sourire, celui d'un barman proposant à un client solitaire, qui s'était attardé au comptoir, un nouveau cocktail.

Il m'entraînait sur l'avenue d'Albigny.

« J'ai une voiture, un peu plus loin... »

À cette heure-là, l'avenue était déserte et silencieuse. On entendait le bruissement des arbres. À mesure que nous avancions, nous n'étions plus éclairés que par la pleine lune. Du moins, dans mon souvenir.

À la hauteur de la villa Schmidt, une voiture américaine décapotable était garée le long du trottoir. Je l'ai aussitôt reconnue. Le jour même, je l'avais vue en stationnement rue Royale.

« Le propriétaire laisse toujours la clé de contact sur le tableau de bord. »

Il a ouvert la portière et m'a fait signe de monter. J'hésitais.

« N'aie pas peur, m'a dit Daniel V. Le type ne s'apercevra de rien. »

Je me suis assis sur la banquette, et Daniel V. a claqué la portière. Il était trop tard pour changer d'avis.

Daniel V. s'est mis au volant. Il a tourné la clé de contact, et j'ai entendu le bruit de moteur particulier des américaines qui me frappait tant depuis mon enfance, parce qu'il vous donnait l'impression que vous alliez quitter le sol.

Nous avons dépassé la préfecture et nous suivions la

route du bord du lac. Je m'attendais à voir déboucher une voiture de police.

« Tu n'as pas l'air très à l'aise, m'a dit Daniel V. Tu peux être tranquille... Je connais par cœur les horaires de ce type. Il ne récupère jamais sa décapotable avant trois heures du matin. Il joue au casino.

— Mais pourquoi laisse-t-il la clé sur le tableau de bord ?

— La voiture est immatriculée en Italie, à Rome... Ça doit être une habitude, là-bas, de laisser la clé de contact sur le tableau de bord.

— Imagine qu'on te demande la carte grise ?

— Je dirais que ce type m'a prêté sa voiture. Ça pourra toujours s'arranger avec lui. »

Daniel V. finissait par me communiquer son insouciance. Après tout, je n'avais pas encore dix-sept ans.

« La dernière fois que j'ai emprunté cette voiture, je suis allé jusqu'à La Clusaz... »

Il conduisait lentement et je n'entendais plus le moteur. Je sentais un très léger tangage, comme si nous flottions sur l'eau.

« Je ne connais pas ce type... mais il est né dans la région... Il revient de temps en temps à Annecy pendant l'été... Ça fait deux ans que je l'ai repéré à cause de sa voiture... Il s'appelle Serge Servoz... »

Il a ouvert la boîte à gants et m'a tendu le permis de conduire où figuraient bien ce nom-là et une photo d'un homme encore jeune, mais qui me semblait beaucoup plus âgé que nous. Les jours et les mois suivants, je m'apercevrais que le nom « Serge Servoz » m'était resté en mémoire.

« Cette nuit, on en profite pour aller jusqu'à Genève, m'a dit Daniel V. Qu'en penses-tu ? »

Mais il avait dû lire une certaine inquiétude dans mon regard, puisqu'il m'a tapoté le genou.

« Mais non... je plaisantais... »

Il avait encore ralenti, et la voiture glissait en silence comme si elle était en roue libre. L'avenue déserte devant nous et les reflets de la lune sur le lac. À partir de Chavoire, je n'éprouvais plus aucune inquiétude. J'avais désormais l'impression que cette voiture était la nôtre.

« Demain soir, à la même heure, nous pourrions encore faire une balade, m'a dit Daniel V.

— Tu crois que la voiture sera garée au même endroit ?

— Là ou devant la préfecture. Pendant la journée, il la gare toujours le long des arcades, dans la première rue à droite après la Taverne. »

J'étais étonné d'une telle précision. Nous étions arrivés à Veyrier-du-Lac et nous laissions derrière nous le grand platane qui marquait l'arrêt du car, celui que je prenais le dimanche soir pour rentrer au pensionnat.

Il a coupé le moteur au moment de franchir le portail grand ouvert des « Tilleuls », et la voiture a glissé le long de l'allée en pente jusqu'à l'entrée de la maison.

« La nuit prochaine, nous irons à Genève. »

Il est reparti en marche arrière et a agité le bras en signe d'adieu.

Je devais le revoir au mois de novembre de l'année suivante, un dimanche où je rentrais au pensionnat. Ce soir-là, quand je suis monté dans le car, à Veyrier-du-Lac, il n'y avait plus aucune place libre. Je me tenais debout avec d'autres passagers. Il était debout lui aussi, tout près de moi, en uniforme.

« Mais oui, c'est bien moi, m'a-t-il dit avec un sourire gêné. Je fais mon service militaire à Annecy. »

Et il m'a expliqué qu'il s'était marié avec une fille qui attendait depuis six mois un enfant de lui et qu'il habitait avec elle chez ses beaux-parents dans le petit village d'Alex. Il avait obtenu des autorités militaires de rentrer chaque soir chez lui.

Il avait changé de visage à cause de ses cheveux coupés ras et surtout, me semblait-il, de la tristesse de son regard.

« Et toi ? m'a-t-il demandé. Toujours à tes études ?

— Toujours. »

Mais je ne savais pas quoi lui dire de plus.

Avant que le car ne s'arrête dans le village d'Alex, il m'a pris par le bras :

« Nous étions quand même mieux dans la voiture décapotable de Serge Servoz que dans ce car, tu ne trouves pas ? »

Et comme s'il voulait s'en convaincre lui-même, il m'a dit qu'il n'avait pas renoncé à son projet de travailler dans l'hôtellerie à l'étranger. Pas à Genève, c'était beaucoup trop près d'ici. Mais à Londres, peut-être.

À mesure que je tente de mettre à jour ma recherche, j'éprouve une impression très étrange. Il me semble que tout était déjà écrit à l'encre sympathique. Quelle est dans le dictionnaire sa définition? « Encre qui, incolore quand on l'emploie, noircit à l'action d'une substance déterminée. » Peut-être, au détour d'une page, apparaîtra peu à peu ce qui a été rédigé à l'encre invisible, et les questions que je me pose depuis long-temps sur la disparition de Noëlle Lefebvre, et la raison pour laquelle je me pose ces questions, tout cela sera résolu avec la précision et la clarté des rapports de police. D'une écriture très nette et qui ressemble à la mienne, les explications seront données dans les moindres détails et les mystères éclaircis. Et, en défi-nitive, cela me permettra peut-être de mieux me com-prendre moi-même.

Cette idée d'encre sympathique m'est venue il y a quelques jours en feuilletant de nouveau l'agenda de Noëlle Lefebvre. À la date du 16 avril : « Revu Sancho à La Caravelle, rue Robert-Estienne. Je n'aurais pas dû revenir dans cet endroit. Que faire ? » J'étais sûr de n'avoir jamais lu cela précédemment et que la page était blanche. Ces mots étaient à l'encre bleue, beaucoup plus pâle que celle des autres notes, un bleu presque translucide. Et, en examinant de près et sous une lumière vive les pages blanches de l'agenda, j'avais l'impression de voir des traces d'écriture en filigrane, mais il était impossible de distinguer les lettres ou les mots. Apparemment, il en était de même à chaque page, comme si elle avait tenu un journal ou mentionné un grand nombre de rendez-vous. Je me renseignerai sur cette « substance déterminée » qu'évoque le dictionnaire. Sans doute s'agit-il d'un produit que l'on peut facilement trouver dans le commerce et grâce auquel tout ce qu'a noté Noëlle Lefebvre sur son agenda remontera à la surface de la page blanche, comme si elle l'avait écrit la veille. Ou alors, tout se fera de manière naturelle, tout deviendra lisible d'un jour à l'autre. Il suffit de laisser passer le temps.

La preuve : il m'a fallu des dizaines d'années pour apprendre que je m'étais trompé sur l'orthographe du nom « Behaviour ».

Je ne l'avais entendu que dans la bouche de Gérard Mourade et j'étais sûr qu'il devait s'écrire à l'anglaise : Behaviour. Mais non. Je me suis rendu compte de mon erreur un après-midi, alors que je suivais le quai en direction de la maison de la Radio.

J'étais arrivé à la hauteur du grand garage avant le

métro aérien et les escaliers du square de l'Alboni. À l'entrée du garage, une enseigne blanche portait cette inscription en caractères rouges :

GARAGE DU TROCADÉRO

R. Béavioure
Spécialiste Chrysler
jour et nuit

Je connaissais bien ce quartier et j'étais étonné de n'avoir jamais remarqué l'enseigne, et surtout le nom : BÉAVIOURE. Mais peut-être faut-il attendre un certain laps de temps pour que les lettres et les noms apparaissent, comme sur les pages de l'agenda de Noëlle Lefebvre. Cela me confortait dans l'idée que, si vous avez parfois des trous de mémoire, tous les détails de votre vie sont écrits quelque part à l'encre sympathique.

De l'autre côté de la grande paroi vitrée, je voyais un homme assis derrière un bureau métallique, la tête penchée, l'air de consulter un dossier. J'ai frappé à la vitre. Il a levé la tête vers moi et m'a fait signe d'entrer.

J'étais debout, en face de lui. Un homme d'une cinquantaine d'années, les cheveux blancs coupés en brosse courte, quelque chose de juvénile dans le visage, sans doute à cause du regard et de la peau lisse et bronzée qui contrastaient avec les cheveux blancs.

« Vous désirez, monsieur ? »

La voix aussi était juvénile, avec un léger accent parisien.

« Vous êtes bien Roger Béavioure ?

— Lui-même.

— C'est juste pour un renseignement... »

Il portait une veste de toile bleu marine et un polo jaune qui lui donnaient une allure sportive.

« Je suis à votre service... »

Il me souriait, et ce sourire était sans doute le même que dans sa jeunesse. Et je craignais que ce sourire ne se fige brusquement quand j'entrerais dans le vif du sujet.

« C'est à cause de votre nom...

— Mon nom... ? »

Il fronçait les sourcils, et le sourire avait disparu.

« Je crois que vous avez connu, il y a longtemps, des amis à moi... »

La phrase me paraissait un peu abrupte, mais j'avais pris une voix très douce.

« Des amis ? Mais lesquels ?

— Une fille qui s'appelait Noëlle Lefebvre et un garçon dont le nom était Gérard Mourade. Je vous parle d'une époque lointaine... Je pense que nous avons à peu près le même âge... »

Je m'étais exprimé de mon mieux pour le mettre en confiance, en m'efforçant de prendre un ton détaché. Mais j'éprouvais une certaine appréhension.

Son regard s'était assombri et il gardait le silence.

Je me suis demandé si ce que je venais de lui dire le gênait ou s'il faisait un effort de mémoire.

« Vous voulez me répéter les noms ?

— Gérard Mourade et Noëlle Lefebvre. Noëlle Lefebvre a disparu d'un jour à l'autre. Je savais qu'elle vivait avec un certain Roger Béavioure...

— Le premier nom ne me dit rien du tout. Mais j'ai connu une fille qui s'appelait Noëlle. C'était dans la nuit des temps, monsieur...

— Je suppose que c'est la même... lui ai-je dit. Elle habitait à l'époque rue Vaugelas.

— Non, c'était moi qui habitais rue Vaugelas... Elle, elle habitait rue de la Convention. »

Il a eu un bref hochement de tête comme s'il voulait mettre un terme à cet entretien.

« Vous n'avez jamais su ce que Noëlle Lefebvre était devenue ?

— Non. »

Il me fixait du regard. On aurait dit qu'il cherchait ses mots.

« Vous dites qu'elle avait disparu. Mais elle avait tout simplement quitté Paris, si mes souvenirs sont exacts. »

Le téléphone, sur son bureau, a sonné à cet instant-là. Il a décroché le combiné.

« Je suis avec un client... Mais tu peux venir me rejoindre... »

Il a raccroché.

« Voyez-vous, monsieur, il y a des périodes de la vie dont on préfère ne pas se souvenir... Et d'ailleurs, on finit par les oublier... Et c'est très bien comme ça... J'ai eu une jeunesse assez difficile... »

Il souriait toujours, mais d'un sourire un peu crispé.

« Je comprends, lui ai-je dit. Moi aussi j'ai eu une jeunesse difficile. Et nous avons connu la même personne. Ce n'est pas un hasard...

— C'est tout à fait un hasard, monsieur. »

Le ton de la voix était beaucoup moins aimable que précédemment.

« Vous me parlez d'une époque tellement lointaine... Et de quelqu'un que j'ai connu pendant très peu de temps... À peine trois mois... Alors, que vous dire de plus ? »

Il était peut-être sincère. Trois mois, ce n'est rien dans une vie. Et, au bout de toutes ces années, Noëlle Lefebvre n'était plus pour lui qu'une figurante dans un film à la pellicule voilée, l'une de ces figurantes dont on ne voit même pas le visage, mais la silhouette, de dos, en arrière-plan.

« Je comprends parfaitement... Et je suis désolé de vous avoir importuné. »

Il a paru surpris par ces mots que j'avais sans doute prononcés d'une voix triste. J'ai senti qu'il voulait faire un effort envers moi. Un réflexe professionnel ? Après tout, j'étais un client, comme il l'avait dit au téléphone.

« Mais pourquoi voulez-vous la retrouver ? Noëlle comptait beaucoup pour vous ? »

C'était la première fois qu'il prononçait son prénom, comme s'il s'agissait d'une personne proche.

« Je cherche simplement à savoir pourquoi elle a disparu. »

À ce moment-là, une femme est entrée dans le bureau,
les cheveux roux, vêtue d'une veste en daim et d'un
pantalon beige, de vingt ans plus jeune que Béavioure.
Elle m'a salué d'un léger signe de tête.
« Tu en as encore pour longtemps ?
— Non, a dit Béavioure d'un air gêné. Nous parlions
automobiles avec Monsieur. C'est un connaisseur. »
Il s'est tourné vers moi.
« Ma femme. »
Elle m'a jeté un coup d'œil distrait.
« Je ferai mon possible pour vous trouver cette voi-
ture, monsieur », m'a dit Béavioure en me prenant par
le bras et en me guidant vers la porte vitrée du bureau.
« Bien sûr, les Chrysler Valiant ne sont plus vraiment
sur le marché. Mais j'ai bon espoir. »
Nous étions tous les deux dehors, sur le quai. Il s'est
penché vers moi.
« Tout à l'heure, vous avez prononcé le nom
"Mourade"... Oui, j'ai dû connaître quelqu'un de ce
nom-là... »
On aurait dit qu'il voulait me faire des confidences.
« Il a habité chez moi un moment... rue Vaugelas...
C'était un déséquilibré... Il racontait n'importe quoi...
Il s'est même dénoncé à la police en prétendant qu'il
avait tué quelqu'un... »

Les mots sortaient de sa bouche à une cadence accélérée, comme s'il craignait d'être interrompu.

« Et qu'est-ce que je pourrais vous dire de plus sur Noëlle ? Je ne sais pas... »

Il lançait un regard inquiet vers le garage. Peut-être craignait-il l'apparition de sa femme.

« J'ai connu Noëlle à son arrivée à Paris... Elle venait de province... de je ne sais plus quelle montagne... Elle était mariée avec un homme plus âgé qu'elle... J'étais jeune, et ce qui m'avait frappé c'est que ce type avait une voiture américaine décapotable... Et savez-vous de quelle marque ? Une Chrysler. »

Il me tendait la main.

« Au revoir, monsieur... je ne veux plus penser à cette époque... Je m'en suis bien tiré... mais de justesse... »

Je montais les escaliers de l'Alboni vers la station de métro. J'avais fait encore preuve de naïveté en croyant que Béavioure me dirait tout sur Noëlle Lefebvre et me permettrait de comprendre pourquoi je m'intéressais depuis si longtemps à elle. Et je finissais par croire que j'étais à la recherche d'un chaînon manquant de ma vie.

J'avais renoncé à prendre le métro et je m'engageais dans le passage des Eaux, un endroit qui me rappelait, justement, des épisodes de ma vie. Depuis longtemps, j'étais sûr de croiser, le long de ce sentier, un jour ou l'autre, certaines personnes que j'avais connues.

À droite, des fenêtres dont on ne savait pas à quels immeubles elles appartenaient, pas plus que l'on ne savait où pouvaient bien se trouver les portes cochères de ces immeubles. Il suffisait de frapper aux vitres, et un visage apparaîtrait, de ceux que vous n'aviez pas vus depuis trente ans ou même que vous aviez oubliés – et ce visage n'avait pas changé. Plusieurs personnes, dont vous vous demandiez ce qu'elles étaient devenues, demeuraient là, dans les chambres du rez-de-chaussée, à l'abri du temps. Elles vous ouvriraient les fenêtres. Le passage était désert et silencieux, comme d'habitude. À gauche, un mur d'enceinte derrière lequel on devinait un parc ou la lisière d'une forêt. Là-haut, au bout du passage, une silhouette s'avançait en descendant la pente, et nous allions nous croiser. Noëlle Lefebvre? Je pensais à l'enseigne du quai et à ses lettres rouges, « Garage du Trocadéro. R. Béavioure. Spécialiste Chrysler. Jour et nuit », et j'avais envie de rire. Il ne faut jamais se fier aux témoins. Leurs prétendus témoignages sur des personnes qu'ils auraient connues sont inexacts, la plupart du temps, et ils ne font que brouiller les pistes. La ligne d'une vie disparaît derrière tout ce brouillage. Comment démêler le vrai du faux si l'on songe aux traces contradictoires qu'une personne laisse derrière elle? Et sur soi-même en sait-on plus long, si j'en juge par mes propres mensonges et omissions, ou mes oublis involontaires?

La silhouette se rapprochait et tenait par la main un

Cette recherche risque de donner l'impression que j'y ai consacré beaucoup de temps – déjà cent pages –, mais ce n'est pas exact. Si l'on met, bout à bout, les moments que j'ai évoqués jusqu'ici dans un certain désordre, cela fait à peine une journée. Qu'est-ce qu'une journée sur une distance de trente ans ? Et trente ans s'étaient écoulés depuis le printemps où Hutte m'avait envoyé dans ce bureau de la poste restante, jusqu'à mon entrevue avec Roger Béavioure dont le nom ne s'écrivait pas Behaviour. En somme, trente ans au cours desquels Noëlle Lefebvre ne m'aura vraiment occupé l'esprit qu'une journée.

Il suffisait que cette pensée me visite quelques heures, ou même quelques minutes, pour qu'elle ait son importance. Dans le tracé assez rectiligne de ma vie, elle était une question demeurée sans réponse. Et si je continue d'écrire ce livre, c'est uniquement dans l'espoir, peut-être chimérique, de trouver une réponse. Je me demande : Faut-il vraiment trouver une réponse ?

J'ai peur qu'une fois que vous avez toutes les réponses votre vie se referme sur vous comme un piège, dans le bruit que font les clés des cellules de prison. Ne serait-il pas préférable de laisser autour de soi des terrains vagues où l'on puisse s'échapper?

Mais pour que le dossier soit le plus complet possible, je dois évoquer un épisode très bref, si bref que j'avais eu un doute, après coup, sur sa réalité et que je m'étais demandé à plusieurs reprises s'il n'appartenait pas au domaine du rêve.

C'était au cours d'un mois de juin, vers onze heures du soir dans la pharmacie de la place Blanche. Deux hommes se tenaient devant moi, et l'un d'eux, le plus petit, avait tendu à la pharmacienne une ordonnance. Celui qui était d'une taille massive s'appuyait sur l'épaule de l'autre, comme s'il avait de la peine à se tenir debout. Malgré sa corpulence et ses cheveux à la teinture trop blonde, lui qui était brun une quinzaine d'années auparavant, j'ai cru reconnaître Gérard Mourade. Il portait un polo à rayures. Mon impression s'est confirmée quand je me suis placé à côté de lui. Le visage était à peu près le même qu'autrefois, sauf les joues, plus épaisses. J'ai croisé son regard.

Quand ils sont sortis de la pharmacie, celui en qui j'avais reconnu Gérard Mourade s'appuyait toujours sur l'épaule de l'autre, et je leur ai emboîté le pas.

Ils marchaient boulevard de Clichy, sur le terre-plein. Je suis arrivé à leur hauteur.

« Pardon... Vous êtes Gérard Mourade ? »

Il ne m'avait pas entendu. L'autre s'est tourné vers moi.

« Vous désirez, monsieur ? »

Un brun assez jeune, l'œil noir et inquiet de certains terriers.

Il s'interposait entre Mourade et moi, comme s'il était son garde du corps et qu'il voulait le protéger.

« Ce monsieur est bien Gérard Mourade ?

— Non. Vous faites erreur. »

Mourade se tenait en retrait, son regard dirigé vers nous, un regard indifférent.

« Qu'est-ce qui se passe, Folco ? a-t-il demandé d'une voix très douce.

— Rien, a dit le petit brun. Monsieur vous prend pour un autre.

— Ah bon... Il me prend pour un autre ? »

Et il a esquissé un sourire.

« Monsieur s'appelle André Vernet et non pas Gérard Mourade, a dit le petit brun d'une voix tranchante.

— Demandez-lui s'il se souvient de Noëlle Lefebvre... »

Il a parlé à voix basse à l'oreille de Mourade, et celui-ci a fait un signe négatif de la tête. Puis, le petit brun s'est rapproché de moi.

« Il ne se souvient pas du tout de cette personne. »

Et, de nouveau, Mourade – ou Vernet – s'est appuyé

sur l'épaule de l'autre et ils ont marché lentement jusqu'à une Volkswagen grise garée le long du terreplein. Le petit brun a ouvert la portière et il a aidé Mourade – ou Vernet – à s'asseoir sur la banquette avant. Je les observais de loin.

La voiture, celui qui s'appelait Folco au volant, est passée devant moi en direction de Pigalle, puis je l'ai vue disparaître pour toujours. J'aurais peut-être dû relever les chiffres et les lettres sur la plaque d'immatriculation.

J'avais reçu une lettre de Jacques B. dit « le Marquis », sans doute quelques semaines après notre rencontre carrefour Richelieu-Drouot. Cette lettre n'était pas datée, et cela n'a aucune importance. Je n'ai jamais respecté l'ordre chronologique. Il n'a jamais existé pour moi. Le présent et le passé se mêlent l'un à l'autre dans une sorte de transparence, et chaque instant que j'ai vécu dans ma jeunesse m'apparaît, détaché de tout, dans un présent éternel.

Jacques B. dit « le Marquis » m'écrivait :

Mon cher Jean,

Lors de notre rencontre, je t'avais demandé de me citer les noms de personnes dont tu savais qu'elles étaient dans l'entourage de cette Noëlle Lefebvre. Je les avais notés en pensant que je pourrais trouver quelques éléments qui t'aideraient dans tes recherches.

Tu avais évoqué un certain Gérard Mourade. J'ai découvert dans les archives du journal où je travaille

un petit article le concernant et qui date de cinq ans.
Il s'agit d'un fait divers – ma spécialité. Un fait divers
étrange qui n'a pas eu de suite, car on ne fait aucune
mention de cette « affaire » dans les années suivantes,
une « affaire » qui a sans doute été classée...

Jacques B. avait joint à sa lettre la photocopie de l'article :

SÉQUESTRÉ, UN COMÉDIEN TUE
L'UN DE SES GARDIENS

Le jeudi de l'Ascension, un individu se nommant André Vernet, domicilié à Maisons-Alfort, 26, rue Carnot, et déclarant être, sous le nom de Gérard Mourade, artiste dramatique, se constituait prisonnier au commissariat de police de la gare d'Austerlitz : il venait, disait-il, de tuer un homme rue de l'Essai.

Le fait était exact et, inculpé d'homicide volontaire, André Vernet vient d'être interrogé, en présence de son avocat, Me Mariani, par M. Marquiset, juge d'instruction.

L'inculpé a fait un récit assez rocambolesque de son aventure.

Sous un prétexte quelconque (Jacques B. avait souligné ces mots et ajouté au stylo-bille : « Mais quel prétexte ? »), il fut attiré le 11 mai au 19, rue Béranger, où il fut bientôt en présence de six individus qui le dépouillèrent de ses papiers, de son argent et des bijoux qu'il portait. (Jacques B. avait ajouté au stylo-bille : « Pourquoi des bijoux ? ») Quatre jours après, il fut emmené rue de l'Essai, et comme dans la nuit du

17 au 18 il ne fut gardé que par deux hommes, puis par un seul, il réussit à maîtriser son gardien et même à le tuer au cours de la lutte qui s'ensuivit.

La lettre de Jacques B. se poursuivait en ces termes :

Je suppose que ce Mourade a dû abandonner le théâtre... Peut-être a-t-il laissé une trace de lui à Maisons-Alfort ?

En ce qui concerne Sancho Lefebvre, j'ai pu obtenir quelques renseignements par de bonnes sources à Annecy.

Il se nomme en réalité Serge Servoz-Lefebvre dit « Sancho Lefebvre », né à Annecy le 6 septembre 1932.

Il a travaillé pendant son adolescence et sa prime jeunesse dans différents hôtels à Annecy et à Megève. À Megève, il a rencontré un certain Georges Brainos dont il est devenu le secrétaire, puis l'associé. Celui-ci possédait des salles de cinéma à Bruxelles et à Genève et une société qui contrôlait deux établissements à Paris : le dancing de la Marine, 71, quai de Grenelle (15ᵉ), et La Caravelle, 26, rue Marbeuf – 2, rue Robert-Estienne (8ᵉ). Sancho Lefebvre était intéressé dans ces affaires.

Il aurait résidé en Suisse et à Rome.

Le 4 août 1962, il aurait été interpellé à la frontière française, venant de Suisse, et l'on aurait découvert dans le coffre de sa voiture un tableau du peintre Henri Matisse appartenant à Mme Charlotte Wendland (Versoix – Genève) qu'elle lui aurait confié aux fins de

vente. Sur son extrait d'acte de naissance, aucune men-
tion d'un mariage quelconque.

Et pourtant, l'été 1963 ou 1964, on l'a vu à Annecy
avec une jeune fille dont le prénom était bien Noëlle et
qu'il présentait comme sa femme. J'ai pu questionner des
amis plus âgés que nous, et dont tu te souviens sans doute
(Claude Brun, Paulo Hervieu, Guy Pilotaz), et ils me
l'ont confirmé. Elle se faisait appeler « Mme Lefebvre ».
Mais ils ne savent rien d'elle et ne voient pas qui pour-
rait nous renseigner. Apparemment, elle était, m'ont-ils
dit, originaire de la région. Après cet été 1963 ou 1964,
ni Serge Servoz-Lefebvre alias « Sancho » ni « Mme »
Lefebvre n'ont plus réapparu à Annecy.

Voilà, mon cher Jean. Qui sait ? j'aurai peut-être
d'autres renseignements à te communiquer. En atten-
dant, je te souhaite bon courage.

JACQUES

Oui, bon courage. Malgré tous ses efforts, Jacques B.
n'avait pas réussi à identifier « Mme Lefebvre ». « Apparemment, elle était originaire de la région. » Là aussi,
nous restions dans le vague. Quelles étaient les fron-
tières de cette région ? Annecy ? Chambéry ? Thonon-les-
Bains ? Genève ? Et Claude Brun, Paulo Hervieu, Guy
Pilotaz eux-mêmes « ne savaient rien d'elle » et « ne
voyaient pas qui pourrait nous renseigner »...

J'allais ranger la lettre de Jacques B. dans le dossier.
Il contenait déjà tant de détails, comme les sentiers
d'une forêt que vous prenez les uns après les autres

au hasard des carrefours et qui vous égarent un peu plus, tandis que la nuit tombe. Ou les rares et pauvres souvenirs que vous gardez de quelqu'un en ignorant tout du reste de sa vie. Quel était le seul élément tangible dans ce dossier? Une photo trop sombre sur une carte de la poste restante, un visage en noir et blanc qu'il aurait été difficile de reconnaître dans la rue... Tous les détails supplémentaires que j'aurais pu encore accumuler m'évoquaient le grésillement de plus en plus fort de parasites au téléphone. Ils vous empêchent d'entendre une voix qui vous appelle de très loin.

Elle se disait que c'était peut-être une illusion, mais qu'il y avait beaucoup moins de Français à Rome qu'autrefois. Non pas des touristes, mais de ces Français qui, au moment où elle était arrivée à Rome, y vivaient depuis une quinzaine d'années. D'autres s'y étaient fixés en même temps qu'elle et avaient son âge, mais cet après-midi-là, elle pensait aux plus vieux, dont les noms lui revenaient en mémoire : Gallas, Cressoy, Sernas, Georges Brehat, et des femmes aussi : Corey, Andreu, Hélène Remy... On les croisait souvent dans les mêmes endroits et on les reconnaissait à leur manière de parler un mélange de français et d'italien, un mélange qui était peu à peu devenu une langue nouvelle, une sorte d'espéranto. Mais pour quelles mystérieuses raisons décide-t-on de s'exiler à Rome ? Exilés de quoi ? Apparemment, tous avaient gommé la première partie de leur vie, celle qu'ils avaient vécue en France. Rome était une ville qui avait le pouvoir d'effacer le temps, et aussi votre passé, comme la Légion étrangère. Ces pensées, elle les devait sans doute à l'homme qui était entré tout à l'heure dans la galerie via della Scrofa. Un homme de son âge, un Français.

Elle l'avait vu s'arrêter devant la vitrine et lire l'enseigne sur la porte : « Gaspard de la Nuit ». C'était le surnom français d'un ami à elle, un Italien qui tenait cette galerie où étaient exposées et rassemblées les nombreuses photos qu'il avait prises de la vie nocturne de Rome à une certaine époque. Il était absent pendant deux mois et lui avait demandé de le remplacer à « Gaspard de la Nuit ».

Il avait hésité à entrer, puis il avait ouvert la porte d'un geste décidé, comme s'il se jetait à l'eau. Il l'avait saluée d'un mouvement de tête et il avait examiné les unes après les autres les photos exposées aux murs.

Elle était assise derrière le petit bureau. Il se dirigea vers elle :

« Vous êtes française ?

— Oui.

— Et vous êtes à Rome depuis longtemps ?

— Depuis toujours. »

Elle disait la vérité. Elle avait l'impression qu'elle était née ici et que les événements qui avaient précédé son arrivée étaient ceux d'une vie antérieure dont il ne lui restait que des réminiscences.

« Et c'est vous qui avez trouvé "Gaspard de la Nuit" ? »

Il avait posé cette question avec un léger accent parisien, en souriant.

111

« Non. C'est le propriétaire. Un ancien photographe qui travaillait souvent la nuit.

— Très intéressantes, ces photos... Elles sont à vendre ?

— Bien sûr. Et il y en a beaucoup d'autres qui ne sont pas exposées et que vous pouvez voir dans la réserve, là-bas... »

Elle désignait une petite porte au fond de la galerie. Et elle se demandait brusquement si le mot « réserve » était un mot français ou italien, tant elle avait perdu l'habitude de poursuivre une conversation en français.

« Je les verrais avec plaisir. »

Il ne savait plus quoi dire. Et elle aussi gardait le silence.

« J'aimerais connaître le nom du photographe.

— Gaspard Mugnani. Voici un album de lui, si cela vous intéresse. »

Et elle lui tendit un exemplaire de l'album qui se trouvait sur le bureau.

Il commença à le feuilleter. Des photos nocturnes des rues et des places de Rome désertes ou animées comme la via Veneto d'autrefois, ses terrasses de station estivale et ses habitués dont les noms étaient mentionnés au bas des pages. Des photos en noir et blanc, et quelques-unes aux couleurs très vives de néons.

« On devrait joindre un texte à ces photos, vous ne trouvez pas ? »

Elle était étonnée qu'il les regarde avec une telle attention.

« Il faudrait en parler au photographe. En ce moment, il est absent, mais il revient le mois prochain. »

Elle le considérait avec un sourire ironique, car il semblait de plus en plus absorbé par ces photos.

« Et vous vous occupez de la galerie en son absence ?

— Oui. Mais il n'y a pas beaucoup de clients. Il m'arrive de venir un jour sur deux. »

Il continuait à feuilleter l'album.

« Si vous êtes à Rome depuis longtemps, je suppose que vous connaissez tous ces gens qui sont photographiés ici ? »

Et il lui montrait deux pages où figuraient les photos en noir et blanc de diverses personnes, prises la nuit via Veneto – comme l'indiquait la légende.

Il s'était rapproché d'elle et il tenait l'album ouvert pour qu'elle puisse bien voir ces deux pages.

« Oui, je les connaissais à peu près tous de vue. C'était à l'époque où je suis arrivée à Rome. La plupart sont morts. »

À vrai dire, elle n'avait jamais feuilleté cet album. Et les photos exposées aux murs, elle avait dû les regarder une seule fois, d'un œil distrait.

« Et vous, demanda-t-elle, vous habitez Rome ? »

L'un de ces Français de son âge venus dans cette ville et qui s'y étaient installés définitivement ? Beaucoup d'entre eux étaient encore vivants.

« Non. Je reste quelques jours, juste le temps de faire des recherches pour une étude que je vais écrire.

— Vous êtes professeur ?

— Si vous voulez. Professeur. »

Il avait refermé l'album et le gardait dans sa main.

« Je peux vous l'emprunter ?

— Avec plaisir. »

À sa manière de parler et à ses gestes, elle avait brusquement l'impression de l'avoir déjà vu quelque part.

« Vous venez souvent à Rome ?

— Non. Jamais. J'habite Paris. »

Elle s'était trompée. Pourtant, à l'observer de plus près, il aurait pu habiter Rome. À quoi cela tenait-il ? Elle n'aurait su l'expliquer. Peut-être au regard et au timbre de la voix.

« Je vous rapporte l'album demain si vous êtes là. J'aurais quelques renseignements à vous demander sur la vie à Rome. »

Pourquoi la vie à Rome ? Elle préférait ne pas lui poser tout de suite la question.

« Venez demain à la même heure. Je ne suis jamais là le matin. »

Il referma doucement la porte vitrée derrière lui. Elle pensa qu'il tenait l'album à la main comme un écolier son cartable.

Ce soir-là, l'air était moins chaud que d'habitude. L'automne, déjà. En quittant la galerie, elle décida de marcher jusqu'à la via Flaminia où elle devait retrouver une amie. Elle était très en avance sur l'heure du rendez-vous, et cela lui permettrait de faire un détour qui lui rappellerait les longues promenades de son premier séjour dans cette ville. Elle essayait alors de retenir le nom des rues et des places, mais elle les oubliait et, chaque fois, elle finissait par se perdre.

Il cherchait donc des renseignements concernant « la vie à Rome »... Mais qu'est-ce qu'il entendait par là ? Elle marchait au hasard depuis un certain temps, lorsqu'elle s'aperçut qu'elle suivait les arcades de la piazza Esedra, et elle s'étonna d'être si loin, comme si elle avait fait tout ce trajet en somnambule et qu'elle venait de se réveiller. Elle connaissait si bien cette ville désormais qu'elle ne pouvait plus s'y perdre, et elle le regrettait.

Ici, il n'y aurait plus jamais rien de nouveau pour

elle et, un jour prochain, elle réussirait à se diriger d'un point à un autre les yeux fermés. Il lui suffirait de compter ses pas, dont le nombre serait toujours le même pour se rendre de la galerie de Gaspard de la Nuit jusqu'à la piazza del Popolo.

C'était peut-être cela, si l'on y réfléchissait bien, « la vie à Rome » : un tic-tac régulier et éternel de métronome, un tic-tac inutile, alors que le temps s'était arrêté pour toujours.

Elle se trouvait au début de la via Veneto, et elle se demanda si, en quittant la galerie, ce n'était pas jusqu'à cet endroit qu'elle voulait guider ses pas, ou plutôt se laisser guider par eux. Un quartier qu'elle avait bien connu les premiers temps qu'elle habitait à Rome. Les terrasses des cafés qui débordaient sur les trottoirs étaient encore abritées à cette époque par des parasols de toutes les couleurs. Et puis, au fil des années, il y avait eu de moins en moins d'animation sur cette avenue, à croire que les gens plus jeunes préféraient d'autres quartiers. Ou bien, ceux que l'on voyait l'été sur les terrasses, ou qui passaient lentement dans des voitures décapotables à la recherche de quelques comparses pour finir la nuit, étaient morts les uns après les autres.

La nuit tombait. Elle remontait l'avenue, plus sombre que les autres soirs. Une panne d'électricité ? À moins que les réverbères ne soient pas encore allumés à cette heure entre chien et loup. Elle passait devant le Café de Paris. Il était fermé. Une grille avec un cadenas protégeait la porte et, derrière cette grille, sur la marche de l'entrée, un amoncellement de vieux papiers, journaux, lettres, prospectus, bouteilles de plastique vides, comme si l'on n'avait pas franchi ce seuil depuis une éternité. Un peu plus haut, à droite, la masse sombre de l'hôtel Excelsior. Une seule lumière à une fenêtre du dernier étage. Plus loin, la façade du salon de thé Doney était éteinte.

Elle ne croisait personne sur l'avenue. Il aurait fallu que Gaspard de la Nuit prenne une photo de la via Veneto déserte à cette heure-là et qu'elle figure à la fin de son album. Elle aurait tranché sur les photos précédentes, et ainsi on aurait senti le passage du temps. Elle le lui dirait la prochaine fois qu'elle le verrait.

Le passage du temps. Elle avait toujours vécu au présent, si bien que le parcours de sa vie était semé de trous de mémoire. Elle n'aurait pas su dire s'il s'agissait de trous de mémoire ou si elle évitait de penser aux différents événements de sa vie. Elle avait un fils qui était parti en Amérique. Regrettait-elle de n'avoir pas fondé une famille ? Mais qu'est-ce au juste qu'une famille ? Elle était née dans un village et dans une famille, pourtant elle aurait été incapable de répondre à cette question.

Sa vie était désormais une longue, trop longue histoire qu'elle aurait retracée à quelqu'un si elle s'était sentie en confiance. Mais à qui ? Et pourquoi ? Alors, il ne lui restait que le présent avec ses points de repère, quelques images fixes et immuables : le pin de la piazza Pitagora qu'elle voyait de ses fenêtres, les feuilles mortes des platanes, chaque automne, sur les quais du Tibre.

Et d'ailleurs existait-il vraiment, le passage du temps, dans cette ville que l'on qualifiait d'éternelle ? Bien sûr, au fil des années, les gens disparaissaient, les lumières s'éteignaient, le silence se faisait dans les lieux où l'on s'était habitué au brouhaha des conversations et aux éclats de rire. Et, malgré tout cela, il y avait un fond d'éternité dans l'air. Voilà ce qu'elle pourrait lui expliquer demain, à cet homme qui voulait des renseignements sur « la vie à Rome ». Mais trouverait-elle les mots ? Le plus simple pour qu'il comprenne son état d'esprit depuis qu'elle vivait à Rome, ce serait de lui réciter un poème, le seul qu'elle savait à peu près par cœur :

> *Le ciel est, par-dessus le toit,*
> *Si bleu, si calme !*
> *Un arbre, par-dessus le toit*
> *Berce sa palme.*

Et cette idée provoqua chez elle un éclat de rire dont elle croyait entendre l'écho le long de l'avenue déserte.

Elle avait recopié le poème il y avait longtemps, au siècle dernier, sur un agenda. C'était pendant son très court séjour à Paris, avant de partir à Rome. Ce séjour, qui avait duré quelques mois, s'était peu à peu effacé de sa mémoire. Les quelques mois étaient devenus quelques heures, comme si elle les avait passées dans une salle d'attente entre deux trains. Elle ne se souvenait d'aucun visage, pas même du nom de la rue où elle avait habité. Le train roulait trop vite pour qu'elle ait lu sur les panneaux les noms des gares. Si elle avait pu conserver cet agenda – le seul qu'elle ait utilisé au cours de sa vie –, et si elle l'avait feuilleté aujourd'hui, les rendez-vous, les lieux, les noms lui auraient-ils encore évoqué quelque chose ? Elle n'en était pas sûre. On lui avait volé cet agenda : un grand type, dont elle avait oublié le visage et le nom et qu'elle avait rencontré avec un ami à lui dans un café. Ils habitaient tous les deux le même quartier qu'elle et ils s'étaient vus à plusieurs reprises, mais cela n'avait pas eu plus d'importance que deux voisins anonymes avec lesquels vous auriez échangé des paroles perdues pour toujours dans la nuit des temps.

Le grand type, pour plaisanter, lui avait pris l'agenda où elle venait de noter un rendez-vous et ne voulait pas le lui rendre. Et puis, elle était partie à Rome sans avoir récupéré cet agenda. Deux détails anodins lui étaient pourtant restés en mémoire : cet homme sans visage et sans nom portait des chemises en tissu gaufré sous une veste de mouton retourné. Et il suivait des cours d'art dramatique. Et son ami qui l'accompagnait toujours demeurait aussi pour elle un homme sans nom et sans visage. La seule chose qu'elle avait retenue de lui c'est qu'il travaillait dans une entreprise de déménagement.

Elle était arrivée à la hauteur de la via Aurora, près de l'église maronite. Chaque fois qu'elle passait par cet endroit, elle éprouvait un léger pincement au cœur. Lorsqu'elle avait dix-neuf ans, elle échouait souvent via Aurora après une nuit blanche. Au début de la rue, un grand mur au-dessus duquel on devinait un jardin qui devait être celui du casino de l'Aurore. Et ce mur, l'été, vers six heures du matin, était déjà éclaboussé de lumière. Une table et une chaise étaient toujours disposées sur le trottoir, au pied du mur. Elle s'asseyait là, sous les rayons du soleil, le soleil encore très doux du matin. Au fil des années, et même ce soir, où tout était sombre autour d'elle, il lui semblait que ce soleil ne l'avait jamais quittée et l'enveloppait maintenant d'une sorte d'aurore boréale.

Un peu plus haut sur l'avenue, à la vitrine de la boutique anglaise de Luciano Padovan était collée une affiche qui portait la date du mois d'octobre de l'année précédente : un avis de recherche, avec sa photo, d'une chienne qui s'était perdue dans le quartier de la piazzale Flaminio. Elle lut le texte en entier :

Une petite chienne, Greta, s'est perdue le 17/10 via Gian Domenico Romagnosi. Téléphoner : Italian International Film 063611377. Elle porte un collier rouge. Genre teckel poils courts.

Elle n'avait jamais remarqué l'avis de recherche qui était sans doute placardé dans d'autres rues des environs. Quand elle eut fini de le lire, elle pensa au Français à qui elle avait prêté l'album de Gaspard de la Nuit. Elle ne savait pas pourquoi, mais elle l'imaginait avec un chien.

« Très intéressant, cet album... »

Il le tenait à la main et il était assis sur le canapé rouge de la « réserve », comme elle disait : une pièce dans le prolongement de la galerie et dont la porte-fenêtre entrouverte laissait voir une cour ensoleillée. Elle-même avait pris place en face de lui dans un fauteuil de cuir.

« Je suis de plus en plus persuadé qu'il faudrait écrire un texte là-dessus... »

Elle n'osait pas lui demander quel genre de texte on écrirait au sujet des photos de Gaspard de la Nuit. Ces photos représentaient des lieux et des gens qui lui étaient familiers et avaient fait en quelque sorte partie de sa vie quotidienne, si bien qu'un « texte » lui semblait inutile.

« Vous vous intéressez beaucoup à Rome, si je comprends bien ? »

Et elle n'avait pu s'empêcher de lui lancer un sourire ironique.

« Beaucoup. Mais pour vous qui y vivez depuis long-temps, cela doit sembler une simple curiosité de touriste... »

Voilà exactement la réponse qu'elle lui aurait faite. Il y avait donc entre eux une transmission de pensée.

« C'est une ville tellement différente de Paris... »

Elle avait dit cette phrase sans réfléchir, juste pour rompre le silence.

« Vous avez habité Paris ?

— Oh... juste quelques mois... il y a très longtemps. Et j'ai honte de le dire, mais je ne me souviens pratiquement de rien à Paris...

— Vraiment ? »

Il paraissait soudain déçu qu'elle ait si peu de mémoire ou qu'elle fasse preuve de tant de nonchalance ou d'une si grande légèreté.

« Je ne sais pas si vous vous en êtes rendu compte, mais je parle français avec l'accent italien... et souvent j'ai du mal à parler français...

— Je suis désolé de vous obliger à cet effort. »

Lui, il parlait un français très soigné, avec son accent parisien.

« Je m'intéresse beaucoup aux Français et à tous les étrangers qui se sont fixés à Rome au cours du XXe siècle. Je pense qu'il y a un livre à écrire là-dessus.

— Alors, vous êtes professeur d'histoire ?

— Exactement. Je suis professeur d'histoire... »

Il l'avait dit l'air de se moquer de lui-même et de ne pas vouloir lui donner d'autres précisions sur son métier. Mais cela ne la gênait pas. À Rome, on ne pose jamais de questions indiscrètes à ceux que l'on rencontre concernant leur métier ou leur vie personnelle. On les accepte d'une manière tacite comme si on les connaissait depuis toujours. On devine tout d'eux sans rien leur demander.

« Alors, l'album de photos de Gaspard de la Nuit vous a vraiment plu ? »

Elle ne savait pas très bien comment relancer la conversation. Il semblait penser à quelque chose qui le préoccupait. Ou bien chercher à formuler le mieux possible une question qu'il voulait lui poser.

« Il m'a beaucoup intéressé. J'ai reconnu certaines personnes sur les photos. Mais vous devez mieux les connaître que moi, de toute façon. »

Il feuilletait lentement l'album, comme il l'avait fait la veille. Elle se demandait si cela durerait longtemps. Apparemment, il avait oublié sa présence. Il s'était arrêté sur une page.

« Il y a un homme qui est photographié là et qui porte un nom français... Mais je ne vois vraiment pas de qui il s'agit... »

Il lui désignait une photo de trois personnes assises autour d'une table à la terrasse d'un café. Une photo en noir et blanc, prise la nuit en été si l'on en jugeait par leurs vêtements, des tenues de plage. Plus bas, la légende indiquait : « de gauche à droite, Duccio Staderini, Sancho Lefebvre et Giorgio Costa ».

Elle se pencha sur la photo.

« Lequel vous intéresse ?

— Celui qui est au milieu, avec le nom français...
Sancho Lefebvre... »

Elle restait là, penchée sur la photo, sans rien dire.
Elle ne savait pas si elle hésitait à répondre ou si ces
visages n'évoquaient rien pour elle, comme si elle avait
été frappée d'une brusque amnésie.

« Sancho Lefebvre ? Oui, c'était un Français... Il ne
s'appelait pas vraiment Sancho, mais Serge...

— Vous l'avez connu ?

— Un peu. Quand je suis arrivée à Rome, à dix-neuf
ans. »

Et c'était curieux, au premier coup d'œil sur la
photo, elle ne l'avait pas identifié : un brun beaucoup
plus massif que les deux autres, le seul des trois qui ne
souriait pas. Et puis, il s'était produit un déclic : elle
se retrouvait dans la peau de la jeune fille qui avait
connu Serge, dit Sancho Lefebvre. Mais cela ne dura
que quelques secondes. La photo redevint celle du premier coup d'œil, une personne qui lui était désormais
si lointaine...

« Et vous saviez ce qu'il faisait dans la vie et pourquoi
il était à Rome ?

— Je ne me posais pas ce genre de questions. Je
le croisais de temps en temps, comme la plupart des
Français qui vivaient ici. »

Elle ne voulait pas entrer dans les détails. D'ailleurs,
les détails s'étaient estompés. Plus d'aspérités. L'oubli

avait recouvert tout cela d'une couche blanche et glissante. De la neige.

« Hier, vous m'avez dit que vous aimeriez avoir des renseignements sur Rome... Quels renseignements ? »

Elle cherchait ses mots. Elle avait l'impression qu'elle ne savait plus du tout parler français. Les phrases ne venaient plus. Il fallait faire un effort.

« C'est très difficile... À Rome, on finit par tout oublier au fur et à mesure... »

Oui, elle avait lu cette réflexion quelque part. Dans un roman policier ou un magazine. Rome était la ville de l'oubli.

Elle se leva brusquement du fauteuil de cuir.

« Vous ne voulez pas que nous fassions quelques pas dehors ? On étouffe dans cette réserve... »

Il parut surpris. C'était sans doute à cause du mot « réserve » dont elle se demanda encore une fois s'il existait en français.

Ils suivaient la via della Scrofa, côte à côte, lui tenant toujours l'album à la main.

« Cela doit être ennuyeux pour vous de rester toute la journée dans cette galerie...

— Oh, vous savez, je n'y passe que deux heures par jour...

— Vous habitez dans le quartier ?

— Pas très loin d'ici. Et vous, vous êtes descendu à l'hôtel ?

— Oui. Un hôtel près de la piazza del Popolo. »

La conversation devenait banale et reposante. Il suffisait de faire la planche. Il y avait quand même quelque chose qui la préoccupait.

« Mais pourquoi vous intéressez-vous à Sancho Lefebvre ? »

Depuis combien d'années n'avait-elle pas prononcé ce nom ? Depuis le siècle dernier, sans doute. Et elle en éprouvait un certain malaise.

« C'est quelqu'un à Paris qui a cité ce nom dans une conversation... Le prénom Sancho m'avait frappé... »

Il s'était tourné vers elle et lui souriait comme pour la rassurer. La rassurer ? Elle interprétait peut-être mal ce sourire.

« Oui... quelqu'un qui semblait avoir connu, il y a très longtemps, ce Sancho Lefebvre... »

Il s'était arrêté au milieu du trottoir, l'air de vouloir lui confier quelque chose d'important.

« On se trouve quelquefois dans un lieu parmi des gens que l'on ne connaît pas pour la plupart... et on ne peut rien faire d'autre qu'écouter leur conversation... »

Elle ne comprenait pas vraiment ces paroles, mais elle hochait la tête en signe d'approbation.

« C'est au cours de l'une de ces conversations de hasard que j'ai entendu le nom de Sancho Lefebvre... Voilà... c'est aussi simple que cela... et aussi dérisoire... et je trouve sa photo dans votre album... »

Il la prit par le bras, et ils poursuivirent leur marche. Ils arrivèrent sur la piazza del Popolo.

« Et celui qui avait parlé de Sancho Lefebvre au cours de cette conversation était un homme assez âgé aux cheveux encore très bruns et qui aurait pu être grec ou sud-américain... »

Elle le considérait avec curiosité, et à son tour elle souriait.

« Mais c'est un véritable roman, ce que vous me racontez...

— Oui, comme vous dites... un roman... Cet homme, apparemment, avait été un ami de Sancho Lefebvre... Il s'appelait Brainos, Georges Brainos... »

Cette fois-ci, c'est elle qui s'arrêta au milieu de la place. Brainos. Un nom qu'elle avait oublié pendant des dizaines d'années et qu'elle n'avait jamais plus entendu dans la bouche de personne. Voilà pourquoi ce nom resurgissait du néant avec une certaine violence. Mais elle ne pouvait pas mettre de visage sur ce nom, comme si les deux syllabes « Brai-nos » projetaient sur elle une lumière aveuglante.

« Vous êtes toute pâle... vous devez être fatiguée de marcher... et j'ai l'impression que je vous ennuie avec cette histoire...

— Pas du tout... Nous pourrions nous asseoir quelque part. »

Elle venait d'éprouver un léger étourdissement, mais cela allait mieux. Le nom « Brainos » n'était désormais pour elle qu'un clignotement de plus en plus faible, celui d'un phare quand on s'éloigne du rivage.

Ce Brainos, quel âge aurait-il aujourd'hui s'il était encore vivant? Cent ans? Elle avait envie de lui poser la question, puisqu'il l'avait rencontré, d'après ce qu'il disait. « Il aurait pu être grec ou sud-américain »... De son visage, il ne lui restait en mémoire que des cheveux noirs ramenés en arrière. Et des yeux noirs.

Ils étaient assis côte à côte à la terrasse du café Rosati.

« Non... je n'ai jamais entendu parler de ce Brainos... Je n'ai jamais connu à Rome quelqu'un de ce nom... »

Elle s'en voulait de mentir. Pourquoi ne pas lui dire la vérité? Si cet homme était désormais pour elle sans visage, la sonorité particulière de son nom lui évoquait quelque chose. Elle pensa brusquement à ces deux jeunes gens, une fille et un garçon, dont on avait découvert les corps intacts, conservés dans un glacier, cinquante ans après leur mort, près du village de Haute-Savoie où elle était née. Des souvenirs étaient demeurés eux aussi enfouis dans la glace, et il avait suffi de ce nom, « Brainos », pour qu'ils resurgissent, cependant un peu voilés par le temps. Ainsi, elle se demandait si elle avait rencontré Brainos avant Sancho Lefebvre, ou bien si c'était Sancho Lefebvre qui lui avait présenté Brainos. Il lui semblait plutôt les avoir connus l'un et l'autre un été, au Grand Hôtel de Menthon-Saint-Bernard où elle avait trouvé du travail. En tout cas, c'était Sancho Lefebvre qui l'avait convaincue de quitter « sa province », comme il disait, ce qu'il avait fait lui-même quelques années auparavant. Et elle avait décidé aussi, cet été-là, de changer de prénom. Mais pourquoi avait-elle choisi Noëlle ?

Elle se rappelait une sorte de petit château en Sologne – « le château de Brainos en Sologne », répétait souvent Sancho Lefebvre, comme s'il s'agissait du refrain d'une vieille chanson française, et avec l'air de se moquer de Brainos –, un « château » où elle avait passé plusieurs semaines avec Sancho Lefebvre et avec Brainos.

« En fait, j'ai l'impression que vous écrivez un roman en ce moment... à cause de ces gens aux noms bizarres auxquels vous vous intéressez... »

Elle s'efforçait de prendre un ton enjoué, mais elle ne se sentait pas à l'aise. Pour la première fois, ces souvenirs venaient la visiter, à la manière d'un maître chanteur dont vous êtes certain qu'il a perdu votre trace depuis longtemps et qui, un soir, frappe doucement à votre porte.

« Oui, vous avez raison... un roman... »

Il avait haussé les épaules et lui souriait.

« On m'a parlé d'une Française qui vit à Rome... On lui avait donné un surnom, il y a longtemps... "La bergère des Alpes"... Ça ne vous dit rien ?

— Non.

— Et qu'est-ce qui vous a décidée à vivre définitivement à Rome ?

— Le hasard. »

Elle ne trouvait pas d'autre mot. Elle ne s'était jamais posé la question, mais comme elle avait fait un retour vers le passé à cause de ces noms brusquement sortis de l'ombre, Sancho Lefebvre, Brainos, elle se demanda quel était son état d'esprit à cette époque-là. Eh bien, tout simplement la fugue était alors son mode de vie. D'abord fuir l'endroit où elle était née. Et puis fuir Serge dit Sancho Lefebvre quelque temps après l'avoir connu et avoir vécu avec lui à Rome. Se cacher à Paris. Et après que Serge dit Sancho Lefebvre l'eut retrouvée, fuir de nouveau avec lui à Rome. Et, après sa mort, rester dans cette ville, ce qui était une fugue définitive. Une fugue sans fin.

« Oui, le hasard. Rien que le hasard... »

Après tout, elle n'avait aucune raison de se confier à lui. Pour cela, il aurait fallu le connaître mieux.

« Et vous allez bientôt retourner à Paris ?

— Pas tout de suite.

— Il faut faire attention. Si l'on est trop longtemps à Rome, on risque d'y rester pour toujours. »

La conversation avait repris un tour anodin, et elle en était soulagée. Les ombres de Sancho Lefebvre et de Brainos s'étaient dissipées. Mais, au bout de quelques instants, elle éprouva une certaine gêne. Pourquoi avait-il fait allusion à deux personnes qui toutes deux étaient liées à une période de sa vie – une période si lointaine qu'elle-même n'y pensait plus ? Une photo parmi des centaines d'autres dans un album, un nom prononcé par un fantôme, un soir, dans le brouhaha

131

d'une conversation, comment des détails aussi flous avaient-ils pu retenir son attention ? Elle ne devait pas être tout à fait une inconnue pour lui, quelqu'un avait dû lui parler d'elle. Sinon, comment expliquer ces coïncidences ? Elle était décidée à lui poser la question.

Elle se tourna vers lui. Il contemplait la place, les deux églises jumelles et l'obélisque. La nuit était tombée, le café allait fermer. Pourtant, cela leur paraissait naturel, à l'un et à l'autre, de rester là : jusqu'à quand ? Ils étaient assis côte à côte, mais, à la terrasse d'un café, lui semblait-il, on se tient plutôt face à face. Elle le voyait de profil et, brusquement, ce profil lui rappela quelqu'un. Elle avait entendu dire que les gens sont souvent plus reconnaissables de profil que de face et, pour une fois, elle faisait confiance à sa mémoire. Elle finirait bien par découvrir de quelle personne était ce profil. Et puis, il y avait cette chose troublante d'être placés côte à côte comme s'ils voyageaient dans un train ou dans un car.

« Vous habitez quel quartier de Paris ?

— J'ai toujours habité dans le 15e arrondissement. »

Elle se demanda si elle ne l'avait pas rencontré à l'époque du grand brun à la veste de mouton retourné et de l'autre, celui qui travaillait dans une entreprise de déménagement. Mais elle ne savait plus leurs noms. Et d'ailleurs, était-ce dans le 15e arrondissement ?

« Un arrondissement qui a beaucoup changé...

— C'est le contraire de Rome. Ici, rien ne change jamais... Cette place est la même depuis toujours...

— Vous connaissez le 15ᵉ arrondissement ? »

Il la regardait droit dans les yeux avec une insistance étrange.

« Je ne crois pas.

— Je pourrais vous faire la liste de tout ce qui a changé là-bas, ces dernières années... »

Ce n'était pas seulement le profil, mais le regard aussi, qui lui rappelait quelqu'un.

« Ils ont détruit tous les immeubles sur le quai... et même le dancing de la Marine... »

Il haussa les épaules et, d'une voix plus basse, presque un chuchotement :

« Et le guichet de la poste restante, rue de la Convention... »

Il souriait. On aurait cru qu'il lui avait cité la fin d'un poème, un peu comme le refrain que répétait Sancho Lefebvre dans une autre vie : « Le château de Brainos en Sologne... »

De nouveau, elle eut l'impression de voyager à côté de lui dans un compartiment de chemin de fer. Ou plutôt dans un car.

Elle l'avait raccompagné à son hôtel dans une rue qui, de la piazza del Popolo, menait jusqu'au Tibre.

« Nous pourrions dîner ensemble demain, si vous voulez.

— Avec plaisir.

— Rendez-vous à la galerie, à la même heure.

— Je garde l'album de Gaspard de la Nuit. »

Elle longeait la via Flaminia pour rentrer chez elle. Personne. Elle n'avait aucune idée de l'heure qu'il était. S'il passait encore, elle aurait volontiers pris le tram de nuit.

Des fragments de souvenirs se succédaient dans le désordre, et ils appartenaient à la même période de sa vie. Une petite maison sous les arbres, à côté du château de Brainos en Sologne. Dans la pièce du rez-de-chaussée aux boiseries sombres, on avait installé un billard. Sa chambre était au premier étage. Un homme était venu la chercher à la gare de Vierzon, un certain Paul dont Sancho Lefebvre disait qu'il avait « les dents de la chance ». Elle avait retrouvé Sancho Lefebvre dans le château de Brainos. Et puis, au bout de quelque temps, ils étaient partis tous les deux en voiture. La Sologne. Annecy. La Suisse. Rome. Ou bien Annecy. La Côte d'Azur. Rome. Elle ne savait plus s'ils avaient franchi la frontière italienne par Vintimille ou par la Suisse. De retour à Rome, elle n'avait plus jamais quitté cette ville. Le mois de novembre où elle y était venue pour la première fois... Il pleuvait. Jusqu'à la porta Pinciana, l'avenue était aussi déserte et sombre qu'une promenade de bord de mer que les estivants auraient abandonnée. Mais elle se répétait cette phrase qu'elle avait entendue quelque part : *La belle saison est proche.*

C'était la première fois qu'elle faisait de tels efforts de mémoire. Et, soudain, un voile se déchirait, des souvenirs encore plus anciens remontaient lentement à la surface, liés à un paysage de neige, celui de son enfance, bien avant qu'elle ne change de prénom. Elle n'était plus dans la voiture de Sancho Lefebvre qui l'emmenait de Sologne jusqu'en Italie, mais dans un car, de ceux que l'on prenait sur la place de la Gare, à Annecy. Ils stationnaient devant un bâtiment à la façade de planches disjointes – un hôtel délabré, l'aspect d'un vieux chalet dont elle se demandait qui pouvaient bien être les clients.

Des cars d'hiver et des cars d'été. L'hiver, on les attendait très tôt le matin, et leurs phares éclairaient la neige d'une lumière jaune. Du village, ils descendaient jusqu'à Annecy. Ils s'arrêtaient place de la Gare, devant l'hôtel. Au rez-de-chaussée, un café restait ouvert et quelques clients se tenaient encore au comptoir, les derniers clients de la nuit.

Et les cars du dimanche soir. D'Annecy, ils montaient jusqu'au village, après plusieurs arrêts, et il lui semblait que ces dimanches soir étaient toujours en hiver. Beaucoup plus de monde dans ces cars-là. Souvent, on n'avait pas de place assise.

Les cars d'été. Elle les prenait à Annecy, place de la Gare, vers six heures du soir, après son travail. Ils longeaient le lac par l'avenue d'Albigny. Derrière la vitre, elle devinait un parfum de vacances et d'ambre solaire. Au-delà d'une grande allée bordée de terrains de tennis, on apercevait la façade de l'hôtel Impérial qui cachait la plage. Mais bientôt le car s'engageait à gauche sur une route en pente et s'enfonçait loin du lac dans l'intérieur des terres. Chaque fois, à ce moment-là, elle avait envie de fuir.

Elle prenait ces cars, été comme hiver, aux mêmes heures. On y retrouvait les mêmes personnes. Elle y avait remarqué un garçon de son âge. L'été, il montait dans le car de six heures du soir à Annecy et descendait à Veyrier-du-Lac, juste avant le tournant de la route qui menait à l'intérieur des terres. Le dimanche soir, il montait à l'arrêt de Veyrier-du-Lac et descendait comme elle à l'entrée du village où elle habitait.

Ils étaient souvent assis sur une banquette du fond, côte à côte. Une fin d'après-midi, dans l'un des cars d'été, ils avaient engagé la conversation. Elle revenait de son travail. Mais quel était le travail de cet été-là? Serveuse dans une pâtisserie sous les arcades? Engagée avec d'autres filles par l'entreprise Zuccolo? À cette époque, elle n'avait pas encore changé de prénom.

L'hiver, dans le car du dimanche soir, il rentrait au pensionnat. Ces soirs-là, ils se tenaient debout, serrés l'un contre l'autre pendant tout le trajet. Ils se séparaient sur la place, devant la mairie. Plusieurs fois, elle l'avait accompagné le long de la petite route droite qui menait au pensionnat, et ils marchaient lentement tous les deux pour ne pas glisser sur la neige. On n'oublie jamais les passagers de ces cars d'été et d'hiver que l'on prenait en d'autres temps. Et si l'on croyait les avoir oubliés, il suffisait de se retrouver un jour avec eux, côte à côte, et d'observer leur visage de profil, pour se les rappeler.

Voilà ce qu'elle se disait tout à l'heure. Et lui, l'avait-il reconnue? Elle n'en savait rien. Demain, ce serait elle qui parlerait la première. Elle lui expliquerait tout.

Œuvres de Patrick Modiano (suite)

UN PEDIGREE (« Folio », n° 4377).

TROIS NOUVELLES CONTEMPORAINES, *avec Marie NDiaye et Alain Spiess*, lecture accompagnée par Françoise Spiess (« La Bibliothèque Gallimard », n° 174).

DANS LE CAFÉ DE LA JEUNESSE PERDUE, *roman* (« Folio », n° 4834).

L'HORIZON, *roman* (« Folio », n° 5327).

L'HERBE DES NUITS, *roman* (« Folio », n° 5775).

28 PARADIS, 28 ENFERS, *avec Marie Modiano et Dominique Zehrfuss* (« Le Cabinet des Lettrés »).

ROMANS (« Quarto »).

POUR QUE TU NE TE PERDES PAS DANS LE QUARTIER, *roman* (« Folio », n° 6077).

DISCOURS À L'ACADÉMIE SUÉDOISE.

SOUVENIRS DORMANTS, *roman*.

NOS DÉBUTS DANS LA VIE, *théâtre*.

En collaboration avec Louis Malle

LACOMBE LUCIEN, *scénario* (« Folioplus classiques », n° 147, dossier par Olivier Rocheteau et lecture d'image par Olivier Tomasini).

En collaboration avec Sempé

CATHERINE CERTITUDE, *illustrations de Sempé* (« Folio », n° 4298; « Folio Junior », n° 600).

Dans la collection « Écoutez lire »

LA PETITE BIJOU (3 CD)

DORA BRUDER (2 CD)

UN PEDIGREE (2 CD)

SOUVENIRS DORMANTS (1 CD)

Aux Éditions P.O.L.

MEMORY LANE, en collaboration avec Pierre Le-Tan.

POUPÉE BLONDE, en collaboration avec Pierre Le-Tan.

Aux Éditions du Seuil

REMISE DE PEINE.
FLEURS DE RUINE.
CHIEN DE PRINTEMPS.

Aux Éditions Hoëbeke

PARIS TENDRESSE, *photographies de Brassaï.*

Aux Éditions Albin Michel

ELLE S'APPELAIT FRANÇOISE…, en collaboration avec Catherine Deneuve.

Aux Éditions du Mercure de France

ÉPHÉMÉRIDE (« Le Petit Mercure »).

Aux Éditions de L'Acacia

DIEU PREND-IL SOIN DES BŒUFS ?, en collaboration avec Gérard Garouste.

Aux Éditions de L'Olivier

28 PARADIS, en collaboration avec Dominique Zehrfuss.